KARL HERMANN SCHELKLE
ISRAEL IM NEUEN TESTAMENT

KARL HERMANN SCHELKLE

ISRAEL IM NEUEN TESTAMENT

1985

WISSENSCHAFTLICHE BUCHGESELLSCHAFT

DARMSTADT

CIP-Kurztitelaufnahme der Deutschen Bibliothek

Schelkle, Karl Hermann:
Israel im Neuen Testament / Karl Hermann
Schelkle. – Darmstadt: Wissenschaftliche
Buchgesellschaft, 1985.
   ISBN 3-534-09619-3

1 2 3 4 5

BS
2655
.J4
S3
1985

ⓦ Bestellnummer 9619-3

© 1985 by Wissenschaftliche Buchgesellschaft, Darmstadt
Satz: Maschinensetzerei Janß, Pfungstadt
Druck und Einband: Wissenschaftliche Buchgesellschaft, Darmstadt
Printed in Germany
Schrift: Linotype Garamond, 10/11

ISBN 3-534-09619-3

Dem Andenken an Holocaust.

„Es soll Ganzopfer sein" (Leviticus 6, 13).

INHALT

Vorwort XI

Abkürzungen XIII

Allgemeine Bibliographie XV

Einleitung 1

I. Israel in antiker Umwelt 3
   1. Altes Testament 3
   2. Zwischen den Testamenten 5
   3. Neues Testament 10

II. Schriften des Neuen Testaments als Quellen 12
   1. Spruchquelle Q 12
   2. Evangelium nach Markus 20
   3. Evangelien nach Matthäus und Lukas 25
   4. Apostelgeschichte 32
   5. Evangelium nach Johannes 38
   6. Apokalypse des Johannes 42
   7. Briefe des Paulus 46
   8. Deuteropaulinen. Hebräer-Brief 52
   9. Brief des Jakobus 54

III. Gruppen der Juden 56
   1. Priester 57
   2. Pharisäer 58
   3. Schriftgelehrte 60
   4. Sadduzäer 61
   5. Zeloten 61

IV. Glauben und Lehre 63
   1. Jesus Christus 63
   1.1. Jesus, Lehrer und Wundertäter 64
   1.2. Hoheitstitel Jesu aus jüdischer Überlieferung . 67

1.2.1.	Davidssohn	68
1.2.2.	Messias	69
1.2.3.	Menschensohn	70
1.2.4.	Sohn Gottes	71
1.2.5.	Herr	73
1.3.	Heilswerk Jesu	74
1.3.1.	Geschichte des Kreuzes Jesu	74
1.3.2.	Theologische Deutung	78
1.3.3.	Prophetenmorde	79
1.4.	Trennung	81
1.4.1.	Scheidung zwischen Israel und Kirche	81
1.4.2.	Judentum und Jesus heute	83
2.	Gottesglaube	85
2.1.	Gott der Eine. Der Vater	86
2.2.	Gott der Dreieine	89
3.	Schöpfung	90
3.1.	Welt und Mensch	90
3.2.	Ehe	95
4.	Heilige Schriften	98
5.	Ethische Werte und Haltungen	102
5.1.	Gesetz und Gebot	103
5.2.	Glaube	108
5.3.	Liebe	109
6.	Synagoge und Kirche	112
6.1.	Namen der Kirche	113
6.1.1.	Ekklesia	113
6.1.2.	Heilige Gemeinde	114
6.1.3.	Neuer Bund	115
6.1.4.	Volk Gottes	116
6.2.	Ämter	117
6.2.1.	Apostel	117
6.2.2.	Älteste	118
6.2.3.	Priester	119
6.2.4.	Propheten	120
6.2.5.	Lehrer	121
6.2.6.	Hirten	122
6.2.7.	Ursprünglich profane Amtstitel	122
6.3.	Kultische Feiern	122
6.3.1.	Taufe	123
6.3.2.	Mahl	124
6.3.3.	Gottesdienst	124

Inhalt

7.   Vollendung   125
7.1. Tod und Leben (Auferstehung)   127
7.2. Gericht   128
7.3. Königsherrschaft Gottes   130

Ein Schlußwort   133

Register (Wörter – Begriffe – Sachen)   135

VORWORT

Die vorliegende Schrift ist eine der nicht wenigen derzeitigen Veröffentlichungen über altes und neues Israel. Sie haben wohl meist ihren Grund in der durch Auschwitz, Theresienstadt, Treblinka und andere Fanale geforderten Besinnung und Umkehr. Die Geschichte Israels ist Geschichte des Heils wie leidvollen Un-Heils. Hier sollen nur wenige Jahrzehnte dieser Geschichte zur Sprache kommen. Sie sind jedoch für die folgende und seitherige Zeit von entscheidender Bedeutung geworden.

Ich möchte anmerken, daß Fragen, die ich hier verfolge, mich schon seit langem beschäftigen. Meine 1947 abgeschlossene Habilitationsschrift handelt über: ›Die Auslegung von Paulus' Römerbrief bei den Kirchenvätern‹. Im Vorwort schrieb ich: „Ich wählte aus den Briefen des Paulus diese Kapitel aus, die in besonderer Weise von der Geschichte Israels handeln. Denn diese (meine) Schrift wurde begonnen und zum größten Teil geschrieben in jenen Jahren, in denen die leidvolle Geschichte Israels mir die Frage stellte, wie die Väter der Kirche ihr Verhältnis zum Volke Israel auffaßten." Kirchenväter haben bisweilen strenge Urteile des Neuen Testaments über die Juden bestätigt oder noch gesteigert. Doch andere Väter haben jene Aussagen mahnend und warnend auf ihre eigene Kirche bezogen. So Origenes zu Röm 11, 8 f. (J. P. Migne, Patrologia Graeca 14, 1183 f.): „Jeder von uns muß fürchten, daß nicht der Tisch der göttlichen Worte, von dem wir die Speise nehmen, uns Schlinge werde oder Vergeltung oder Anstoß, wenn wir nicht verständig und rein, wie es würdig ist, uns reine göttliche Speise davon nehmen."

Für ihre Geduld und Hilfsbereitschaft danke ich meinen freundlichen Hausgenossen Frau Evita Hildegard Koptschalitsch und Frau Martina Kegel. Frau Daniela Krämer danke ich für die unermüdliche und sorgfältige Fertigung des Typoskriptes.

Tübingen, September 1983

ABKÜRZUNGEN

AThANT	Abhandlungen zur Theologie des Alten und Neuen Testaments. Zürich
BHTh	Beiträge zur historischen Theologie. Tübingen
Bibl. Unters	Biblische Untersuchungen. Regensburg
BSt	Biblische Studien. Neukirchen-Vluyn
BWANT	Beiträge zur Wissenschaft vom Alten und Neuen Testament. Stuttgart
BZ	Biblische Zeitschrift. Paderborn
CBQ	The Catholic Biblical Quarterly. Washington
EdF	Erträge der Forschung. Darmstadt
FRLANT	Forschungen zur Religion und Literatur des Alten und Neuen Testaments. Göttingen
FzB	Forschung zur Bibel. Würzburg
JBL	The Journal of Biblical Literature. Philadelphia
NovTest	Novum Testamentum. Leiden
NtA	Neutestamentliche Abhandlungen. Münster i. W.
NTSt	New Testament Studies. Cambridge
QD	Quaestiones Disputatae. Freiburg i. Br.
RAC	Reallexikon für Antike und Christentum. Stuttgart
RB	Revue Biblique. Paris
SBS	Stuttgarter Biblische Studien. Stuttgart
SNTS-MS	Society for New Testament Studies-Monograph Series. Cambridge
StNT	Studien zum Neuen Testament. Gütersloh
Strack-Billerbeck	Kommentar zum Neuen Testament aus Talmud und Midrasch. 6 Bde. München 1922–1961.
ThLZ	Theologische Literaturzeitung. Berlin
TU	Texte und Untersuchungen. Berlin
WdF	Wege der Forschung. Darmstadt
WMANT	Wissenschaftliche Monographien zum Alten und Neuen Testament. Neukirchen-Vluyn
WUNT	Wissenschaftliche Untersuchungen zum Neuen Testament. Tübingen
ZNW	Zeitschrift für die neutestamentliche Wissenschaft und die Kunde der älteren Kirche. Berlin
ZThK	Zeitschrift für Theologie und Kirche. Tübingen

ALLGEMEINE BIBLIOGRAPHIE

In dieser Auswahlbibliographie werden vor allem größere und neuere Arbeiten angeführt, davon wieder insbesondere deutschsprachige Veröffentlichungen, da diese leichter erreichbar sind. Speziellere Literatur zu den in diesem Band behandelten Fragen findet sich am Beginn der betreffenden Abschnitte.

1. Besinnung heute

Barth, M.: Jesus, Paulus und die Juden (StTh 91). 1967.

Baum, G.: Die Juden und das Evangelium. 1963.

–: Is the New Testament Antisemitic? Re-examination of the New Testament. 2. Aufl. 1965.

Bea, A.: Die Kirche und das jüdische Volk. 1966.

Bein, A.: Die Judenfrage. Bibliographie eines Weltproblems. 2 Bde. 1980.

Betz, O., u. a.(Hrsg.): Abraham Unser Vater. Juden und Christen im Gespräch über die Bibel (FS O. Michel). 1963.

Braunbach, G. – Eckart, W. P. – Kruif, Th. C. de – Lange, N. R. W. de – Müller, G. – Thoma, C. – Weinzierl, C.: Art. Antisemitismus, in: Theolog. Realencyklopädie 3. 1978, 113–167.

Eckart, W. P. – Ehrlich, P. (Hrsg.): Judenhaß – Schuld der Christen? 2 Bde. 1969.

Fleischner, E.: The View of Judaism in German Christian Theology since 1945. Diss. 1972.

– (ed): Auschwitz: Beginning of a New Era. Reflection on the Holocaust. 1977.

McGarry, M.: Christology after Auschwitz. 1977.

Ginzel, B. (Hrsg.): Auschwitz als Herausforderung für Juden und Christen. 1980.

– (Hrsg.): Phänomenologie des Antisemitismus. 1981.

Goldschmidt, D. – Kraus, H. J.: Der ungekündigte Bund. Neue Begegnungen von Juden und christlicher Gemeinde. 1962.

Gollwitzer, H. – Rendtorff, R. – Levinson, N. P.: Thema Juden–Christen. 1978.

Isaac, J.: Genesis des Antisemitismus vor und nach Christus. 1969.

Klein, Ch.: Theologie und Anti-Judaismus. Eine Studie zur deutschen theologischen Literatur der Gegenwart. 1975.

Lapide, P. – Mußner, F. – Wilckens, U.: Was Juden und Christen voneinander denken. Bausteine zum Brückenschlag. 1978.

Lapide, P. – Kogon, E. – Metz, J. B.: Gott nach Auschwitz. 1979.

Marsch, W. D. – Thieme, K.: Christen und Juden. Ihr Gegenüber vom Apostelkonzil bis heute. 1967.

Mußner, F.: Traktat über die Juden. 1979.

Osten-Sacken, P. von der: Grundzüge einer Theologie im christlich-jüdischen Gespräch (Abhandlungen z. christl.-jüd. Dialog 2) 1982.

Pfamatter, J. – Furger, F. (Hrsg.): Theologische Berichte III: Judentum und Kirche: Volk Gottes. 1974.

Rader, W.: The Church and Racial Hostility. A History of Interpretation of Ephesians 2,11–22. 1978.

Ragaz, L.: Israel, Judentum, Christentum. 2. Aufl. 1943.

Rendtorff, R. (Hrsg.): Arbeitsbuch Christen und Juden. Zur Studie des Rats der Evangelischen Kirche in Deutschland. 1979.

Rendtorff, R. – Stegemann, E. (Hrsg.): Auschwitz-Krise der christlichen Theologie (Abhandlungen z. christl.-jüd. Dialog 10). 1980.

Rengstorf, K. H. – Kortzfleisch, S. von (Hrsg.): Kirche und Synagoge. Handbuch zur Geschichte von Christen und Juden. 2 Bde. 1968.

Rübenach, B. (Hrsg.): Begegnungen mit dem Judentum. 1981.

Ruether, H.: Nächstenliebe und Brudermord. Die Theologischen Wurzeln des Antisemitismus. Übersetzung. 1978.

Schoeps, H. J.: Jüdisch-christliches Religionsgespräch im 19. Jahrhundert. 3. Aufl. 1961.

Stendahl, K.: Der Jude Paulus und wir Heiden. Anfragen an das abendländische Christentum (Kaiser Traktate 36). Übers. 1978.

Stöhr, M. (Hrsg.): Erinnern, nicht vergessen. Zugänge zum Holocaust (Kaiser Traktate 43). 1979.

– (Hrsg.): Jüdische Existenz und Erneuerung der christlichen Theologie (Abh. z. jüd.-christl. Dialog 11). 1981.

Thoma, C.: Kirche aus Juden und Heiden (Konfrontationen 8). 1970.

–: Die theologischen Beziehungen zwischen Christentum und Judentum (Grundzüge 44). 1982.

–: Christliche Theologie des Judentums (Der Christ in der Welt, 6. Reihe, 4 a/b). 1978.

2. Theologische Wörterbücher

Vorausgesetzt wird die Benützung der theologischen Wörterbücher, deren Artikel nur in Ausnahmefällen ausdrücklich genannt werden.

Balz, H. – Schneider, G. (Hrsg.): Exegetisches Wörterbuch zum Neuen Testament. Bde. 1 ff. 1978 ff.

Botterweck, G. J. – Ringren, H.: Theologisches Wörterbuch zum Alten Testament. Bde. 1 ff. 1970 ff.

Coenen, L., u. a. (Hrsg.): Theologisches Begriffslexikon zum Neuen Testament. 3 Bde. 1967–1971.

Encyclopaedia Judaica. Das Judentum in Geschichte und Gegenwart. 10 Bde. 1928–1934.

Encyclopaedia Judaica. 16 Bde. Jerusalem 1971. 1972.

Herlitz, G. – Kirschner, B., u. a. (Hrsg.): Jüdisches Lexikon. Ein encyklopädisches Handbuch. 5 Bde. 1927–1930.

Kittel, G. – Friedrich, G. (Hrsg.): Theologisches Wörterbuch zum Neuen Testament. 10 Bde. 1933–1979. (Mit umfassenden Literaturnachträgen Bd. X/2, 1979.)

Klauser, Th., u. a. (Hrsg.): Reallexikon für Antike und Christentum. Bde. 1 ff. 1950 ff.

Krause, G. – Müller, G. (Hrsg.): Theologische Realenzyklopädie. Bde. 1 ff. 1977 ff.

Krüger, H., u. a. (Hrsg.): Ökumene-Lexikon. Kirchen – Religionen – Bewegungen. 1983.

Reicke, B. – Rost, S. (Hrsg.): Biblisch-Historisches Handwörterbuch. 4 Bde. 1962–1975.

3. Theologie des Alten und des Neuen Testaments

Die zu erörternden Fragen sind meist auch berührt oder behandelt in den Darstellungen alt- oder neutestamentlicher Theologie. Genannt seien die folgenden.

Altes Testament:

Eichrodt, W.: Theologie des Alten Testaments. 2 Bde. 8. Aufl. 1968.

Jacob, C.: Théologie de l'Ancien Testament. 2 Aufl. 1968.

McKenzie, J. L.: A Theology of the Old Testament.1974.

Köhler, L.: Theologie des Alten Testaments. 4. Aufl. 1966.

Rad, G. von: Theologie des Alten Testaments. 2 Bde. 5. u. 6. Aufl. 1968 u. 1969.

Zimmerli, W.: Grundriß der alttestamentlichen Theologie. 2. Aufl. 1975.

Neues Testament:

Bultmann, R.: Theologie des Neuen Testaments. 9. Aufl., hrsg. v. O. Merk (Uni-Taschenbücher 630). 1984.

Conzelmann, H.: Grundriß der Theologie des Neuen Testaments (Einführung in die evang. Theologie 2). 3. Aufl. 1976.

Dunn, J. D. G.: Unity and Diversity in the New Testament. An Inquiry into the Character of Earliest Christianity. 1977.

Goppelt, L.: Theologie des Neuen Testaments, hrsg. v. J. Roloff. 3. Aufl. 1978.

Jeremias, J.: Neutestamentliche Theologie I. Die Verkündigung Jesu. 3. Aufl. 1979.

Kümmel, W. G.: Die Theologie des Neuen Testaments nach seinen Hauptzeugen (Grundrisse z. Neuen Testament 3). 3. Aufl. 1976.

Lodd, G. E.: A Theology of the New Testament. 1975.

Lohse, E.: Grundriß der Neutestamentlichen Theologie (Theol. Wissensch. 5). 2. Aufl. 1979.

Porsch, F.: Viele Stimmen – ein Glaube. Anfänge, Entstehung und Grundzüge neutestamentlicher Theologie (Biblische Basisbücher 7). 1982.

–: Hauptprobleme der alttestamentlichen Theologie im 20. Jahrhundert (EdF 173). 1982.

Reventlow, H. Graf: Hauptprobleme der biblischen Theologie im 20. Jahrhundert (WdF 203). 1983.

Schelkle, K. H.: Theologie des Neuen Testaments. 4 Bde. 1968–1976.

Strecker, G. (Hrsg.): Das Problem der Theologie des Neuen Testaments (WdF 367). 1975.

4. Weitere umgreifende Literatur

Bousset, W. – Greßmann, H.: Die Religion des Judentums im neutestamentlichen Zeitalter. 4. Aufl. von E. Lohse. 1966.

Delling, G.: Bibliographie zur jüdisch-hellenistischen und neutestamentlichen Literatur 1900–1965. 1969.

Eltester, W.: Judentum – Urchristentum – Kirche (FS J. Jeremias). 1960.

Fohrer, G.: Geschichte der israelitischen Religion. 1969.

Goldstein, H. (Hrsg.): Gottesverächter und Menschenfeinde? Juden zwischen Jesus und der christlichen Kirche. 1979.

Goppelt, L.: Judentum und Christentum im 1. u. 2. Jahrhundert. 1954.

Grant, F.: Ancient Judaism and the New Testament. 1978.

Gunneweg, A. H. J.: Geschichte Israels bis Bar Kochba (Theol. Wissensch. 2). 3. Aufl. 1979.

Hoheisel, K.: Das antike Judentum in christlicher Sicht. Ein Beitrag zur neueren Forschungsgeschichte (Studies in Oriental Religions 2). 1978.

Jeremias, J.: Jerusalem zur Zeit Jesu. Eine kulturgeschichtliche Untersuchung zur neutestamentlichen Zeitgeschichte. 3. Aufl. 1963.

Leipoldt, J. – Grundmann, W. (Hrsg.): Umwelt des Urchristentums. 3 Bde., 4. Aufl. 1975. 1976.

Lisowski, G.: Kultur- und Geistesgeschichte des jüdischen Volkes. Von Abraham bis Ben Gurion. 1968.

Maier, J.: Geschichte der jüdischen Religion 1972.

–: Grundzüge der Geschichte des Judentums im Altertum (Grundzüge 10). 1981.

Maier, J. – Schreiner, S. (Hrsg.): Literatur und Religion des Frühjudentums. 1973.

Moore, G. F.: Judaism in the First Centuries of the Christian Era. The Age of the Tannaits. 3 Bde. 1927. 1930.

Müller, P. G.: Traditionsprozeß im Neuen Testament. Kommunikations-analytische Studien zur Versprachlichung des Jesusphänomens. 1982.

Müller, P. G. – Stenger, W. (Hrsg.): Kontinuität und Einheit (FS F. Mußner). 1981.

Noth, M.: Geschichte Israels. 5. Aufl. 1963.

Richardson, G. P.: Israel in the Apostolic Church (SNTSt, Monogr. ser. 10). 1969.

Safrai, S. – Stern, M.: The Jewish People in the First Century. Historical Geography, Political History, Social, Cultural and Religious Life and Institutions. 2 Bde. 1974. 1976.

Sandmel, G. H.: A Jewish Understanding of the New Testament. 1956.

–: Judaism and Christian Beginnings. 1978.

Schäfer, P.: Geschichte der Juden in der Antike. Die Juden Palästinas von Alexander dem Großen bis zur arabischen Eroberung. 1983.

Schmidt, W. H.: Alttestamentlicher Glaube in seiner Geschichte. 2. Aufl. 1975.

Schoeps, H. J.: Theologie und Geschichte des Judenchristentums. 1949.

Schürer, E.: Geschichte des jüdischen Volkes im Zeitalter Jesu Christi. 3 Bde. 3. u. 4. Aufl. 1901–1909. Neudruck 1964.

Simon, M.: Verus Israel. Études sur les relations entre Chrétiens et Juifs dans l'Empire Romain. 7. Aufl. 1964.

Simon, M. – Benoit, A.: Le Judaisme et le christianisme antique de l'Antiochus Epiphane à Constantine. 1968.

Stemberger, G.: Die römische Herrschaft im Urteil der Juden (EdF 195). 1983.

Temporini, H. W. – Haase, W. (Hrsg.): Aufstieg und Niedergang der römischen Welt. Bde. 19 ff. 1979 ff.

An Zeitschriften sind vor allem zu nennen:

Evangelische Theologie 34 (1979); 36 (1976); 37 (1973); 40 (1980); 42 (1982) – je mit Sonderheften.

Freiburger Rundbrief, Beiträge zur christlich-jüdischen Begegnung. Bde. 1 ff. 1948 ff.

Judaica. Beiträge zur Verständigung zum Verständnis des jüdischen Schicksals in Vergangenheit und Gegenwart. Bde. 1 ff. 1945 ff.

EINLEITUNG

Die Aussagen und Berichte des Neuen Testaments haben seither das Urteil über Israel wie seine Geschichte erheblich und wesentlich mitbestimmt – bis heute. Es sind im Neuen Testament Ereignisse und Worte, die Gemeinschaft zwischen Christentum und Judentum bekunden, aber ebenso auch Auseinandersetzung und Gegnerschaft bedeuten. Diese Anfänge sind und wurden um so wichtiger, als die Schriften des Neuen Testaments in der Kirche maßgeblich durch viele Zeiten nachwirkten und bis heute stets gelesen und gehört werden.

Zum Verständnis des Kontextes in bezug auf das behandelte Thema soll eine kurze Darstellung der antiken Umwelt Israels und der Struktur des Judentums beitragen (I und III). In einem größeren Teil werden die einzelnen Schriften des Neuen Testaments als Quellen befragt (II). Der Hauptteil – und letzte Teil – beschreibt Glaubens- und Lehrinhalte, darunter Haltungen und Werte, die das Christentum dem Judentum verdankt (IV).

Hinsichtlich des Gebrauchs der Namen Israels sei folgendes vorausgeschickt: Gemäß dem Alten Testament spricht das Neue Testament von Juden, Hebräern und Israel als Namen, die in gleicher Weise ehrenvoll sind. „Jude" leitet sich ab vom Namen des Patriarchen Juda, des Sohnes des Jakob und der Lea (Gen 29, 35). Der Name wird dabei als „Lobpreis Gottes" erklärt. Sodann wird dies Name des Stammes Juda, in hellenistisch-römischer Zeit als „Judäa" Name des Südreiches mit der Hauptstadt Jerusalem. Nachdem schon im Altertum Heiden das Wort „Jude" verächtlich gebrauchten (II. 2), wird auch heute vielfach das Wort als abwertende Bezeichnung verwendet (der „ewige Jude"). Die Zeit zwischen den beiden Testamenten bezeichnete man wohl als das „späte Judentum". Heute nennt man diese Zeit richtiger „Frühjudentum", da das spätere Glaubensjudentum mit dieser Zeit begann. Die Bedeutung des Namens „Hebräer" ist ungewiß. Das Wort ist im Alten Testament (Gen 11, 14) wie im Neuen Testament in selbstverständlichem Gebrauch. Auch „Hebräer" wird heute bisweilen spöttisch gebraucht. Den Namen „Israel" erhielt der Patriarch Jakob als Beinamen nach geheimnisvollem Kampf mit Gott. Er bedeutet

„Kämpfer Gottes" (Gen 32, 23–33). Danach wird ein ganzes Volk so genannt. In der Sprache und Theologie der Propheten Jesaja und Jeremia wurde Israel zum heilsgeschichtlichen Gesamtnamen des Volkes. Gott ist König und Vater des Volkes Israel, Israel Gottes Sohn und Eigentum. Israels Erwählung bedeutet Heiligkeit (Lev 11, 44 f.) wie Verpflichtung zur Treue (Jes 43, 8–10). Bei der Gründung des jüdischen Staates im Jahre 1948 hat man sich auf den traditionsreichen Namen „Israel" geeinigt.

I. ISRAEL IN ANTIKER UMWELT

Braunert, H.: Jüdische Diaspora und Judenfeindschaft im Altertum, in: Ders., Politik, Recht und Gesellschaft im Altertum (Kieler historische Studien 26). 1980, 29–48. *Conzelmann, H.:* Heiden – Juden – Christen. Auseinandersetzungen in der Literatur der hellenistisch-römischen Zeit. 1981. *David, J. L.:* Anti-Semitism in the Hellenistic-Roman Period, in: JBL 98, 1979, 45–65. *Heinemann, H.:* Art. Antisemitismus, in: G. Wissowa – P. Kroll (Hrsg.), Pauly's Realencyklopädie der classischen Altertumswissenschaft, Suppl. 5, 1931, 3–43. Dazu: C. Colpe, Art. Antisemitismus, in: Der Kleine Pauly 1, 1964, 400–402. *Hengel, M.:* Judentum und Hellenismus. Studien zu ihrer Begegnung unter besonderer Berücksichtigung Palästinas bis zur Mitte des 2. Jh. v. Chr. (WUNT 10). 2. Aufl. 1973. *Ders.:* Juden, Griechen und Barbaren (SBS 76). 1976. *Jonge, M. de – Safrai, S.:* Compendia Rerum Judaicarum ad Novum Testamentum. 1974. *Leipoldt, J.:* Antisemitismus in der Alten Welt. 1933. *Safrai, S. – Stern, M. (ed.):* The Jewish People in the First Century. Historical Geography, Political History, Social, Cultural and Religious Life and Institutions. 2 Vol. 1974. 1976. *Sevenster, J. N.:* The Root of Pagan Antisemitism in the Ancient World. 1975. *Stern, M.:* Greek and Latin Authors on Jews and Judaism. 2 Vol. 1974. 1982. Edition with introduction, translation and commentary. 2 Vol. 1974. 1978. – *Gager, J. G.:* The Origins of Anti-Semitism. Attitudes Toward Judaism in Pagan and Christian Antiquity. 1983.

1. Altes Testament

Nach den antiken Quellen fielen die Juden von früh an in ihrem Land fremden Gästen wie in einer weiten Zerstreuung anderen Völkern auf, unter denen sie als Gäste lebten. Während die Heiden geneigt waren, ihre Religionen gegenseitig anzuerkennen, indem sie dieselben als identisch interpretierten, also in fremden Göttern ihre je eigenen erkannten, beteiligten die Juden sich niemals am Kult fremder Götter. Sie betraten wohl grundsätzlich nie fremde Heiligtümer, auch nicht die großartigen Tempel etwa als Schöpfungen der Kunst. Wegen des Bilderverbotes (Ex 20, 4f.; Dtn 4, 15f.; 5, 8f.) konnten die Juden ihren Gott nicht bildhaft darstellen, so daß Bilder dieses Gottes nie zu sehen waren. Daraus entstand gegen die Juden der Vorwurf der Gottlosigkeit von seiten der Heiden. Heid-

nische Religionen, Kulte und Bräuche galten aber den Juden nicht
als gleichgültig. Sie befürchteten, Götter und ihre Welt könnten mit
dämonischen Kräften geladen sein (vgl. 1 Kor 10, 28) und verur-
sachten Unheil. Sie müssen daher gemieden werden. Für Israel waren solche Vorschriften im Alten Testament kodifiziert (Lev 11–15;
19; 20; Dtn 14, 3–10). Daraus ergaben sich auch Speisegebote. Der
Genuß von Schweinefleisch war den Juden verboten, da das
Schwein ein heiliges Tier fremder und feindlicher Völker war. Da
man in der Geschlechtlichkeit wie auch in Krankheit und Tod
dämonische Kräfte als wirksam erfuhr oder befürchtete, machte der
Umgang mit solchen Befunden unrein (Lev 11, 7f.; Dtn 14, 8; Jes
65, 4). Diese Gesetze erschwerten den gesellschaftlichen Verkehr
wie insbesondere auch eheliche Gemeinschaften mit Nicht-Juden.
Die Juden zogen sich daher den Vorwurf der Menschenfeindlichkeit zu.

Die frühesten Zeugnisse für die erfahrenen Besonderheiten des
Judentums erscheinen im Alten Testament selbst. So in den Sprüchen Bileams, der gegen Israel bei dessen Landnahme den Fluch des
feindlichen Königs aussprechen sollte. Aber es wurde daraus ein Segen. Die Exegese unterscheidet hier Sprüche verschiedenen Alters.
In den älteren, jahwistischen, Sprüchen ist gesagt (Num 23, 22;
24, 8), daß Gott „wie des Wildochsen Hörner" für Israel ist. In dieser Kraft wird Israel alle Völker bezwingen. Ein jüngerer, elohisti-
scher, Spruch weiß, daß Israel sich unter den Völkern nicht assimi-
lieren kann (Num 23, 9): „Ein Volk, das abseits für sich wohnt, das
sich nicht rechnet unter die Völker."

Das früheste Dokument eines ausgetragenen Gegensatzes zwischen Israel und einem Gastvolk, in dessen Mitte es lebte, ist das
Buch Ester. Der Judenfeind Haman erklärt dem König Ahasveros
(Est 3, 8f. = B 4f. LXX): „Es ist da ein Volk, das zerstreut und ab-
gesondert unter den Völkern in allen Provinzen deines Reiches
wohnt; ihre Gesetze sind anders als die aller übrigen Völker, und die
Gesetze des Königs halten sie nicht ein, so daß es sich für den König
nicht geziemt, sie gewähren zu lassen. Beliebt es dem König, so
werde ein Schreiben erlassen, sie auszurotten. Dann werde ich auch
in der Lage sein, 10000 Talente Silber in die Hände der Beamten
darzuwägen zur Überführung in die königlichen Schatzkammern."
Hier werden – von der jüdischen Apologetik zusammengefaßt – die
Vorwürfe judenfeindlicher heidnischer Polemik sichtbar, die sind:
gesellschaftliche und politische Absonderung und Opposition der
Juden. Diese sollen ausgerottet und ihr Reichtum konfisziert wer-

den. Für die Juden antworten Mordechai und Ester, indem sie im Bewußtsein ihrer Erwählung Gottes Schutz und Hilfe erbitten (Est C 1–30 LXX). Die Juden erfahren die Rettung, besiegen ihre Feinde und rächen sich an ihnen (Est 9, 1–10, 3). Das biblische Buch Ester wird im 3. Jh. v. Chr., die griechischen Zusätze der LXX werden um 100 v. Chr. geschrieben sein.

Von schweren Bedrängnissen der Juden um ihres Glaubens und der Gesetze willen durch hellenistische Machthaber berichten das Buch Daniel und sodann die Makkabäer-Bücher. Dabei stellt sich die Berufung Israels inmitten der Völker und Reiche dar. Der Prophet Daniel sieht aus dem Meer als dem Chaos vier furchtbare, mythische Tiere aufsteigen. Sie bedeuten die vier Weltreiche bis zur Zeit des Propheten. Sie erfahren Gottes Gericht. Vor dem himmlischen Thron des Hochbetagten erscheint nun ein Menschensohn, d. h. der Mensch einfachhin (IV. 1.2.3.). Ihm wird ewiges Königtum verliehen. Der Menschensohn bedeutet das Volk Israel. Ihm gehört das ewige Weltreich des Friedens. Symbol und Ziel dieses Reiches ist der erlöste, vollendete Mensch schlechthin. Es ist eine Aussage hohen Selbstbewußtseins Israels. – Wenn Jesus in den Evangelien den Hoheitstitel Menschensohn empfängt, ist damit eine Erfüllung ausgesagt.

Die Schändung des Tempels in Jerusalem durch Antiochus IV. Epiphanes (176/5–164), den König von Syrien, der dort ein Bild des Zeus aufstellen ließ („Greuel der Verwüstung" Dan 11, 21–45; 1 Makk 1, 10–64; 2 Makk 3–9; 4 Makk 3, 20–4, 26), löste Aufstände und Kriege der Makkabäer aus (Bücher der Makkabäer 1; 2; 4). Gott kommt dem Volk der Martyrer Israels mit großen Wundern zu Hilfe. (Zeit der Niederschrift wohl Ende des 1. Jh. v. Chr. bis in das 1. Jh. n. Chr.)

2. Zwischen den Testamenten

Die Selbstverteidigung des Judentums setzt sich fort im weiteren deuterokanonischen und frühjüdischen Schrifttum. WeishSal (13–15) polemisiert heftig gegen den Götzendienst. Der Aristeas-Brief (121–177) begründet die Gebote der Reinheit der Juden und der damit geforderten Absonderung. Töricht ist die Vergötterung von Menschen und Tieren (ebd. 137f.). Abraham, Moses und die jüdischen Väter waren die ersten Weisen und wurden die Lehrer der Völker (ebd. 187–300).

Der große jüdische Bevölkerungsanteil in Alexandrien veranlaßte dort heftige Auseinandersetzungen. Philon von Alexandrien vertritt hier das Judentum; so in der Schrift ›Gesandtschaft an Gaius‹, indem er auf Vorwürfe, insbesondere Gottlosigkeit und Menschenfeindschaft, antwortet. Mit philosophischer Reflexion vermag er das Judentum zu idealisieren. Den Heiden schwer verständliche Ritualgesetze wie die Beschneidung deutet er symbolisch und moralisch (Einzelgesetze 1, 1–11). Flavius Josephus beschreibt die große Geschichte des jüdischen Volkes, rühmt das Gesetz, das älter ist als jedes andere, schildert und erklärt Feste und Glauben Israels und kritisiert den Götterglauben wie die unsittlichen griechischen Mythen. Josephus verteidigt sein Volk wieder gegen die Anklage der Gottlosigkeit und des Fremdenhasses. Aus vielen Quellen schöpfend, nennt und widerlegt er insbesondere Apion (1. Jh. n. Chr.). Von den Judenfeinden wurde berichtet, die Juden seien als an einer Pest Schuldige aus Ägypten vertrieben worden (Gegen Apion 1, 227–253). Böse Nachrichten lasteten den Juden Ritualmord an. König Antiochus IV. Epiphanes habe, da er in den Tempel eindrang und ihn ausraubte, dort einen Griechen angetroffen, der gefangen gemästet wurde, um geschlachtet zu werden (ebd. 2, 80–88). Die Juden ehren den Esel (im Bilde eines goldenen Eselkopfes), da ihnen der Esel einst in der Wüste eine Wasserquelle zeigte (ebd. 2, 89–96). Ein Brief des Kaisers Claudius an die Alexandriner aus dem Jahre 41 nach Christus beschuldigt die Juden, daß sie eine allgemeine Pest in der Welt darstellen (Josephus, Altertümer 19, 28f.).

Auch in römischer Geschichte und Literatur spricht sich der Gegensatz zum Judentum aus. Dabei mag bedacht werden, daß dies ja die Umwelt der im Neuen Testament genannten jüdischen Gemeinde in Rom (Apg 28, 17) wie der dortigen, alsbald bedeutenden christlichen Kirche war. Die jüdische Gemeinde in Rom war offenbar sehr ansehnlich; sie wird auf 5000 Mitglieder geschätzt. Durch Inschriften sind elf Namen jüdischer Synagogen in Rom bekannt; überdies haben sich bis heute jüdische Katakomben erhalten. Die Inschriften sind fast alle griechisch abgefaßt, nur wenige späte lateinisch. Griechisch war also die geläufige Sprache der Gemeinde, wie ja auch der Römerbrief des Apostels Paulus griechisch geschrieben ist.

Der Gegensatz zwischen Römern und Juden führte zu wiederholten Vertreibungen der Juden aus Rom. Eine erste geschah 139 v. Chr. durch den Prätor Cn. Cornelius Hispanus; sie betraf außer

den Juden noch andere fremde orientalische Kulte. Weitere Juden-
vertreibungen werden berichtet unter Kaiser Tiberius 19 n. Chr.
Eine Ausweisung 49 n. Chr. unter Claudius ist Apg 18, 2 erwähnt.
Aus der lateinischen Literatur seien einige Texte angeführt. Cicero hatte den abgesetzten Proprätor von Asia, L. Valerius Flaccus,
zu verteidigen, weil dieser jüdische Tempelgelder beschlagnahmt
hatte. In der Rede ›Für Flaccus‹ (28, 66) sagt Cicero von den Juden:
„Du weißt, wie groß ihre Menge ist, wie groß ihre Einigkeit, wieviel
sie in der Volksversammlung vermögen." Die jüdische Religion bezeichnet Cicero als „barbarischen Aberglauben". Horaz nennt in
den Satiren wiederholt die Juden, stets aber geringschätzig. Er spot-
tet über den Bekehrungseifer der Juden (Serm. 1, 4, 142 f.): „Wie die
Juden werden wir dich zwingen, unserer Schar beizutreten." Die
Juden sind dem unwahrscheinlichsten Aberglauben verfallen. Dies
meint Serm. 1, 5, 101: „Das glaube der Jude Apelles." Freunde
ermahnen sich ironisch zur Schonung jüdischer Gefühle
(Serm. 1, 9, 69 f.): „Man darf ja doch nicht diesen beschnittenen Juden am Sabbat verhöhnen." Die jüdische Sabbat-Ruhe findet kein
Verständnis. Augustinus (Gottesstaat 6, 11) erwähnt eine Aussage
des Seneca: Durch den je nach sieben Tagen eingeschobenen Sabbat
verlören die Juden den 7. Teil ihres Lebens; sie schädigen sich
selbst, da sie viele dringliche Dinge deshalb nicht erledigen. Persius
(Sat. 5, 176–184) schildert den als „Tag des Herodes" und „beschnittenen Sabbat" bezeichneten Feiertag der Juden zusammen
mit dem Kult der Isis und der Kybele als um sich greifenden synkre-
tistischen Aberglauben. Lucanus (Pharsalia 2, 592 f.) erwähnt, daß
die jüdische Religion anderen unbekannt und fremd ist: „Judäa ist
ergeben dem Dienst eines unbekannten Gottes." Juvenal erwähnt
die Juden öfters in seinen Satiren. Sat. 3, 10–19 wie 6, 542–547 erscheinen sie in der Öffentlichkeit als Bettler. Die Aversion gegen
das Judentum erscheint wie gesammelt Sat. 14, 96–106, wo Juvenal
die Proselytenmacherei der Juden und ihre Folgen schildert:

Jene, denen als Vater ein Sabbatverehrer zuteil ward,
Beten zu nichts als dem Wolkengott und der Gottheit des Himmels,
Halten von einerlei Art mit dem menschlichen Fleische das Saufleisch,
Dem ihr Vater entsagt, und beschneiden sich nächtlich die Vorhaut,
So, die Gesetze des römischen Staates allmählich verachtend,
Lernen sie jüdisches Recht und befolgen die Satzungen alle
Ehrfurchtsvoll, die Moses erließ in dem mystischen Buche:
Keinem zu sagen den Weg, der nicht dasselbe wie sie glaubt,
Nur den beschnittenen Mann zur lebenden Quelle zu führen.

> Aber der Vater ist schuld, der immer den siebenten Morgen
> Träg ausruhte und nicht mit dem kleinsten Geschäft sich befaßte.
> (C. N. v. Osiander – G. Schwab)

Der Historiker Tacitus kommt in seinen Geschichtswerken, den Annalen wie den Historien, wiederholt auf die Juden, ihr Land und ihre Geschichte zu sprechen. Er schöpft aus zahlreichen mittelbaren und unmittelbaren Quellen. Inhaltsreich ist der Bericht über die Juden, den er in den Historien (5, 3–5) der Schilderung des römisch-jüdischen Krieges 66–70, der mit der Eroberung Jerusalems und der Zerstörung des Tempels endete, vorausschickt. Tacitus erzählt über die Juden, sie seien als aussätzige Volksgruppe aus Ägypten vertrieben worden. Esel hätten die Verdurstenden in der Wüste zu Wasserquellen geführt. Darum stünde im Tempel zu Jerusalem ein Eselsbild – Gerüchte, die auch Josephus und andere erwähnen. Weiter berichtet Tacitus, die Juden halten unter sich fest zusammen, während sie alle anderen Menschen wie Feinde hassen, sie essen für sich, schlafen nicht mit Fremden, enthalten sich, so begierig sie auch sonst sind, aller fremden Weiber; unter ihnen selbst dagegen ist alles erlaubt. Um Unterscheidungszeichen zu besitzen, haben sie die Beschneidung eingeführt. Wer zu ihrer Sekte übergeht, muß dasselbe tun. Sie bringen ihm bei, die Götter zu verachten, das Vaterland zu verleugnen, Eltern, Geschwister und Kinder zu mißachten. Den übrigen Religionen sind sie feindlich entgegengesetzt. Philostratus (Leben des Apollonius 5, 33; um 230 n. Chr.) beschreibt die Fremdheit der Juden mit bewegenden Worten: „Seit alters sind die Juden ferne nicht nur von den Römern, sondern von allen Menschen. Sie führen ein Leben ohne Verbindung, sie haben weder einen gemeinsamen Tisch mit Menschen, noch Ehen, noch Gebete, noch Opfer. Sie sind uns ferner als Susa und Baktra und die Inder jenseits von diesen." Angeführt werden könnte endlich noch aus dem 4. Jh. n. Chr. als eine Summe des immer gleichen Judenhasses, was Rutilius Claudius Namatianus (Heimkehr 377–398) vom jüdischen Pächter einer Villa auf der Insel Falesia (bei Neapel) berichtet:

> Denn es hatte zur Pacht ein grämlicher Jude die Villa,
> Menschliches Vieh, das schnöd menschliche Speise verschmäht.
> Gebührende Schmähung ward von uns dem verruchten Geschlechte,
> Das nach des Knaben Geburt blutig die Vorhaut entfernt,
> Das mit der Torheit im Bunde seine traurigen Sabbate feiert.
> Kalt ist der Glaube des Volks, kälter das innerste Herz.
> Zur entehrenden Ruh verdammt den siebenten Tag es,

Gleichsam ein weibisches Bild von dem ermüdeten Gott.
O daß Rom sich nie unterworfen hätte Judäa,
Da das bezwungene Volk seine Besieger besiegt.
(J. Lemiacus)

Die Umwelt antwortete jedoch auf Anschauungen und Glaubensüberzeugungen des Judentums auch mit würdigender Anerkennung. Der strenge jüdische Monotheismus fand besinnliche Zustimmung. Philosophische Besinnung der Griechen übte seit langem (so Xenophanes, Heraklit, Platon) Kritik am unwürdigen heidnischen Polytheismus. Die Philosophie lehrte in ihren wichtigsten Vertretern wie Platon und Aristoteles eine geläuterte Gotteserkenntnis. Die Vielzahl der Götter wurde allenfalls symbolhaft verstanden. Philosophischer Glaube gelangte zu einem Henotheismus, in dem der Polytheismus aufgehoben war in einer höchsten Gottheit, die – etwa pantheistisch – Ursprung und Sinn der Welt war. Die Heiden kannten und anerkannten auch jüdische Ethik. Der Ernst stoischer und kynischer Philosophie gelangte zu strengen Geboten und Ordnungen. Tacitus (Hist. 5, 5, 6) weiß immerhin: „Einen Ungeborenen zu töten, gilt den Juden als Frevel." Er erklärt dies damit, daß die Juden ein möglichst zahlreiches Volk sein wollen, um stark zu sein. Daß ihnen alles Leben als Gottes Schöpfung heilig ist, weiß er nicht. Antiker Welt war – unter dem Einfluß östlicher Religionen – auch die Erwartung eines Gerichtes nach dem Tode und die Hoffnung ewigen Lebens nicht unbekannt. Große Beispiele dafür sind Platons Dialoge (Staat, Phaidon) mit Beschreibung eines Gerichtes nach dem Tode und ihrer – bis heute – nachwirkenden Lehre von der Unsterblichkeit der Seele.

Zur Zeit des Neuen Testaments gab es eine breite und tiefe gnostische Bewegung „der Erlösung durch Erkenntnis". Sie hatte Vorstellungen über Gott, Schöpfung und Erlösung, die mit denen des Neuen Testaments vergleichbar waren, mit denen sich das Neue Testament auseinandersetzte, die es aufnahm oder auch ablehnte. Dies gilt auch von Judentum und Gnosis. Beide empfingen wohl voneinander Gedanken und Bilder; so in der Vorstellung von Gott als Weisheit und Logos, im Dualismus von Leib und Seele, in Weltverachtung und Skepsis.[1]

---

[1] Dupont, J.: Gnosis. La connaissance religieuse dans les lettres de Saint Paul. 2. éd. 1960; Die Gnosis I: Zeugnisse der Kirchenväter; bearb. von W. Foerster u. a.; hrsg. von C. Andresen. 1969. – II. Koptische und mandäische Quellen, bearb. von M. Krause und K. Rudolph, hrsg. von C. Andre-

Das frühe Judentum übte – auch eben zur Zeit Jesu (Mt 23, 15) – eine ausgedehnte und intensive Mission. Es gewann Gläubige aus der griechisch-römischen Welt. Aufgrund von Gunsterweisen des C. Julius Caesar und des Octavianus Augustus anerkannte das römische Recht das Judentum als „erlaubte Religion". Manche Heiden nahmen das volle jüdische Gesetz mit allen seinen Vorschriften an. Dann war die Beschneidung der entscheidende Akt des Übertritts zum Judentum. Andere Heiden – und dies war die Mehrzahl – gehörten zu einem weiteren Kreis der Israel zugewandten Freunde. Diese waren die „Gottesfürchtigen" (Tob 1, 8; Mt 23, 15; Apg 2, 11; 6, 5; 13, 43. 50; 17, 4, 17; 28, 7).

3. Neues Testament

Die Geschichte des Judentums und seine Gegenwart bildeten die Umwelt des Neuen Testamentes. Die Christen waren zunächst überwiegend Judenchristen. Sie galten wohl als jüdische Sekte. Das überkommene Urteil über Israel galt daher auch der Kirche. Da Kaiser Claudius 49 n. Chr. die Juden, wohl wegen eines Konfliktes zwischen Juden und Judenchristen, aus Rom ausweisen ließ (Sueton, Leben des Claudius 25), waren davon auch die Judenchristen, wie Aquilas und Prisca (Apg 18, 2), betroffen. Die Ausgewiesenen konnten allmählich wieder zurückkehren, und jenes Gesetz war vergessen.

Paulus richtete seine Predigt in der Synagoge und außerhalb Israels oft an die Proselyten und Gottesfürchtigen (s. o.). Außerdem nennt die Apostelgeschichte in gleichem Sinn „die Griechen" (14, 1; 18, 4; 19, 10). Hier waren Hören und Verstehen vorbereitet, und

sen. 1971 (Die Bibliothek der Alten Welt; Reihe Antike und Christentum); Haenchen, E.: Gab es eine vorchristliche Gnosis? In: Ders., Gesammelte Aufsätze, 1965, 265–298; Mortley, R. – C. Colpe, Gnosis I (Erkenntnislehre), in: RAC 11 (1981) 464–537; C. Colpe, Gnosis II (Gnostizismus), ebd. 537–659; Rudolph, K.: Gnosis und Gnostizismus (WdF 262). 1975; Schmithals, W.: Das Verhältnis von Gnosis und Neuem Testament als methodisches Problem, in: NTSt 16, 1969/70, 373–383; Tröger, K. W.: Judentum – Christentum – Gnosis, in: Kairos 24, 1982, 159–169; Logan, A. H. B. – Weddenburn, A. J. B. (ed.): The New Testament and Gnosis (In Honour R. McL Wilson). 1983; McL Wilson, R.: Gnosis and the New Testament. 1968.

nur so ist der große Missionserfolg des Paulus zu erklären. Anfang und Entscheidung für die Heiden war die Bekehrung „von den Göttern zu Gott" (1 Thess 1, 9). Gedanken der Weisheit weiterführend, sagt Paulus, daß die Heiden Gott aus der Schöpfung als seinem Werk erkennen können und daß es schuldhaft ist, wenn sie ihn nicht erkennen und anerkennen. So verehren sie Menschen und Tiere als Götter (so schon Jes 40, 19; Weish 13, 10–14, 31). Paulus beschuldigt heftig die heidnische Unsittlichkeit (Röm 1, 24–2, 16). Er rühmt sich, „von Geburt Jude zu sein und nicht Sünder aus den Heiden" (Gal 2, 15). Dies hindert nicht, daß Paulus auch Schuld und Sünde Israels darstellen muß (Röm 2, 17–24).

Im Neuen Testament ist sehr oft die Rede von innerjüdischer Hinterfragung und Auseinandersetzung um des jüdischen Gesetzes willen, insbesondere des Sabbatgebotes und der Reinheitsvorschriften (IV 5, 1). Da auch das Heidentum eben deshalb das Judentum kritisierte, mag doch zu fragen sein, ob nicht innerjüdische und heidnische Kritik voneinander wußten, ja sich vielleicht irgendwie gegenseitig bestärkten. Besonders möchte man dies annehmen, wenn der Widerspruch gegen das Gesetz von judenchristlichen Proselyten oder Gottesfürchtigen und auch wieder von Heidenchristen herstammte (so wohl Röm 15, 1–6; 1 Kor 9, 20–23; Gal 3, 5; Kol 2, 16; Eph 2, 14 f.). Paulus ist allegorischer Deutung der Beschneidung nicht ferne (Röm 2, 25–29; Gal 5, 2–6; Phil 3, 3; Eph 2, 11), wie solche Kritik schon Jer 4, 14 andeutet und Philon, Einzelgesetze 1–11, ausführlich bietet. Paulus wagt einen scharfen Sarkasmus (Gal 5, 12): „Die euch beschneiden wollen, mögen sich doch verschneiden lassen." Paulus lehrt ausdrücklich die Freiheit vom Gesetz (Gal 5, 1): „Für die Freiheit hat uns Christus frei gemacht." Eine nicht leichte Frage gibt 1 Thess 2, 14–16 auf. Paulus beschuldigt die Juden, „Gott nicht zu gefallen und allen Menschen feind" zu sein. Die Vorwürfe sind außerordentlich schwer; so schwer, daß heutige Exegese fragen möchte, ob sie wirklich von Paulus stammen (s. II 7).

Die antike Umwelt hat zum Judentum intensiv Stellung genommen. Das Verhältnis der Völker zu ihm war ein anderes als sonst zwischen den Völkern. Das Judentum war eine singuläre Erscheinung. Israel erklärte dies mit seiner besonderen Erwählung von Anfang an (Dtn 7, 6–9).

II. SCHRIFTEN DES NEUEN TESTAMENTS ALS QUELLEN

Die einzelnen Schriften des Neuen Testaments werden behandelt in den „Einleitungen in das Neue Testament", von denen als neueste Werke folgende genannt seien:

Conzelmann, H. – Lindemann, A.: Arbeitsbuch zum Neuen Testament (UTB 52). 4. Aufl. 1979. *Knoch, O.:* Begegnung wird Zeugnis (Biblische Basis-Bücher 6). 1980. *Köster, H.:* Einführung in das Neue Testament. 1980. *Kümmel, W. G.:* Einleitung in das Neue Testament. 20. Aufl. 1980. *Lohse, E.:* Die Entstehung des Neuen Testaments (Theol. Wiss. 4). 4. Aufl. 1983. *Ders.:* Die Umwelt des Neuen Testaments (NTD, Erg. Bd. 1). 5. Aufl. 1981. *Marxsen, W.:* Einleitung in das Neue Testament. Eine Einführung in ihre Probleme. 4. Aufl. 1978. *Merkel, H.:* Bibelkunde des Neuen Testaments. 1978. *Schelkle, K. H.:* Das Neue Testament. Eine Einführung. 4. Aufl. 1970. *Schenke, H. M. – Fischer, K. M.:* Einleitung in die Schriften des Neuen Testaments. 2 Bde. 1979. *Schreiner, J. – Dautzenberg, G. (Hrsg.):* Gestalt und Anspruch des Neuen Testaments. 1969. *Vielhauer, Ph.:* Geschichte der urchristlichen Literatur. 1978. *Wickenhauser, A. – Schmid, J.:* Einleitung in das Neue Testament. 6. Aufl., hrsg. v. A. Vögtle. 1973.

1. Spruchquelle Q

Delobel, J. (ed.): Logia. Les Paroles de Jésus. The Sayings of Jesus (BiblEph TheolLov 49). 1982. *Hoffmann, P.:* Studien zur Theologie der Logienquelle (Ntl Abh NF 8). 3. Aufl. 1983. *Kelber, W.:* The Oral and the Written Gospel. The Hermeneutics of Speaking and Written Tradition, Mark, Paul and Q. 1983. *Laufen, R.:* Die Doppelüberlieferungen der Logienquelle und des Markusevangeliums (BBB 54). 1980. *Lührmann, D.:* Zur Redaktion der Logienquelle (WMANT 33). 1969. *Polag, A.:* Die Christologie der Logienquelle (WMANT 45). 1977. *Ders.:* Fragmenta Q. Textheft zur Logienquelle. 2. Aufl. 1982. *Schenk, W.:* Synopse zur Logienquelle der Evangelien. Q-Synopse und Rekonstruktion in deutscher Übersetzung. 1981. *Schulz, S.:* Q. Die Spruchquelle der Evangelien. 1972. *Ders.:* Q-Synopse. Die Texte der Spruchquelle bei Matthäus und Lukas. 1972. *Volkel, M.:* Der Anfang Jesu in Galiläa, in: ZNW 64, 1971, 222–232. *Wagner, U.:* Der Hauptmann in Kaparnaum Mt 8, 5–10.13 par. Lk 7, 1–10. Ein Beitrag zur Q-Forschung. 2 Tle. Diss. Tübingen. 1982. *Worden, R. D.:* Redaction Criticism of Q. A Survey, in: JBL 94, 1975, 532–546. *Müller, K. H.:* Das Judentum in der religionsgeschichtlichen

Arbeit am Neuen Testament. Eine kritische Rückschau auf die Entwicklung einer Methodik bis zu den Qumranfunden. Diss. 1983. *Schönle, V.:*
Jesus und die Juden. Die theologische Position des Matthäus und der Re-
denquelle im Lichte von Mt 11 (Beitr. z. bibl. Exegese u. Theol. 17) 1982.
Schreckenberg, H.: Die christlichen Adversus-Judaeos-Texte und ihr literarisches und historisches Umfeld (1.–11. Jh.) (Europäische Hochschul-
schriften XXIII 172). 1982.

Neutestamentliche Auslegung sucht die Anfänge der Geschichte
zwischen Judentum und Christentum zu erhellen. Als früheste
Quelle ist hierfür die Spruchquelle Q zu befragen. Nach heute
weithin übereinstimmender Annahme ging Q – in welcher Weise
auch immer, aramäisch oder griechisch, mündlich oder schriftlich –
den Evangelien nach Matthäus und Lukas voraus und wurde von
ihnen redaktionell mit Markus und anderer Überlieferung verbunden. Dabei hat wohl Lk die ursprüngliche Reihung der Sprüche und
vielleicht auch ihre Form eher bewahrt als Mt, der die einzelnen
Worte zu größeren Redekompositionen zusammenfügte.

Wie die späteren Evangelien begann wohl auch die Spruchsamm-
lung Q mit dem Auftritt des Täufers Johannes. Er war ursprünglich
ein von Jesus unabhängiger, selbständiger Prediger und Täufer am
Jordan. So bildeten die Jünger des Täufers eine selbständige, von
den Jüngern Jesu getrennte Gemeinde, woran sich die Erinnerung
erhalten hat (in Q: Lk 5, 33; 7, 24 = Mt 11, 7–19; weiter Mk
2, 18–22; Apg 18, 24–19, 7). Jesus selbst war als Schüler des Johannes „der Geringere" (Q: Lk 7, 28 = Mt 11, 11). Daß er, die Taufe
des Johannes empfangend, sich diesem unterordnete, bedurfte der
Erklärung (Mt 3, 13–15). Der Täufer Johannes wird heilsgeschicht-
lich eingeordnet, indem er mit Jes 40, 3 f.; Mal 3, 1; Ex 23, 20 als der
von Gott vorausgesandte Bote erklärt wird (Mk 1, 2 f.; Mt 11, 10;
Lk 7, 27). Der Täufer Johannes wie der Menschensohn Christus
werden aber endlich in gleicher Weise abgelehnt und verleugnet (Q:
Lk 7, 21 = Mt 11, 10 f.). Die Gemeinde von Q, als bedrängte und
verfolgte, weiß sich mit dem Täufer, aber auch mit dem Messias so-
lidarisch (Lk 16, 16; Mt 11, 12). So hat Q den Täufer Johannes als
Vorläufer wie als Jünger Christi verstanden und erwiesen. – Der
nach Mk 1, 2–8 überkommenen Geschichte des Täufers fügten Lk
(3, 7–9. 17) und Mt (3, 7–10. 12) Sprüche aus Q ein. Darin ist gesagt,
daß die Abrahams-Kindschaft angesichts des nahen Gerichts wert-
los ist. Es ist ein Irrtum, wenn die Juden meinen, das angekündigte
Endgericht werde nur die Heiden treffen. Im Sinne von Q ist das
eine Mahnung an Israel, sich der Jüngergemeinde Jesu anzuschlie-

ßen. Die von Johannes Angerufenen sind Lk 3, 7 einfachhin die Taufwilligen, Mt 3, 7 aber die „Pharisäer und Sadduzäer". Hier dringt bereits die schematische Darstellung der Gegner Jesu durch.

Auch Q bekundet – wie Mk (II 2) und Joh (II 5) – die Vorstellung, daß die Volksscharen sich gläubig um Jesus sammelten und ihm folgten (Lk 7, 9 = Mt 8, 10; Lk 11, 29; 12, 1). Auch hier wie in den Evangelien sind die Menschen überwältigt durch die Wunder Jesu (Lk 7, 17; 11, 19 = Mt 9, 8; 12, 23). Doch dieser Hintergrund tritt zurück. Die Worte Jesu bekunden weit überwiegend seine Auseinandersetzung mit den Juden.

Der eigentliche Hoheitstitel Jesu in Q war „Sohn des Menschen" (Mt 8, 20; 11, 19; 12, 32; 24, 27. 37. 44 u. Par.; s. IV 1. 2. 3). Nach dem Gehalt des Titels ist betont, daß dieser das andrängende Gericht zwischen Glauben und Unglauben vollziehen wird. Der Name mahnt das zögernde Volk zur Umkehr.

Eine Reihe von Jesusworten, die wohl Q einleiteten, bilden die „Feldrede" Lk 6, 20–49. Mt 5, 1–7, 29 sind die Sprüche zur „Bergpredigt" erweitert. Zu Q gehörten wohl die vier Seligpreisungen der Armen, der Hungernden, der Trauernden und der Verfolgten (Lk 6, 20–22 = Mt 5, 1–10) wie die Bezugnahme auf die gegenwärtigen Zuhörer (Lk 6, 22 f. = Mt 5, 11 f.). Wenn ihnen als den um des Menschensohnes willen Verfolgten das Heil zugesagt wird, so wird sich darin die Lage der in Israel um Jesu willen Verfolgten aussprechen. Wenn dabei Jes 57, 15; 61, 1–3 aufgenommen sind und an das Schicksal der Propheten erinnert ist, mag zu fragen sein, ob nicht die Schrifttheologie der Gemeinde zu Wort kommt.

Wenn die Jünger Jesu aber gemahnt sind, „die Feinde zu lieben und den Hassenden Gutes zu tun" (Lk 6, 27 f. = Mt 5, 43 f.), mag auch das Verhalten der christlichen Gemeinde zu Israel gemeint sein, zumal „hassen" im biblischen Sprachgebrauch (Ps 34, 22; 86, 17; Spr 29, 10; Lk 21, 17) in besonderer Weise Glaubenshaß bedeuten kann. Andererseits untersagt Q wohl mit diesem Spruch eine Teilnahme an zelotischen Bewegungen.

Die erste Rede Jesu in der Sammlung Q schloß wohl mit der Gleichnisrede vom Haus auf dem Felsen (Lk 6, 46–49 = Mt 7, 21.24–27). Dieses zeigt den Gegensatz auf zwischen Hörern Jesu, die nur zuhören und solchen, die hören und danach handeln. Eine Scheidung zwischen den Hörern Jesu tut sich auf. Nicht alles tut die schenkende Güte Gottes, die in den Seligpreisungen kund wird, sondern auch Wille und Tat des Menschen sind angerufen.

Der einleitenden Rede folgte in Q wohl die Erzählung vom heidnischen Hauptmann in Kafarnaum (Lk 7, 1–10 = Mt 8, 5–10). Jesus anerkennt den Glauben des Heiden, indem er feststellt, daß er in Israel einen solchen Glauben nicht gefunden hat. Mit dem Tadel an Israel wird in dieser Geschichte die Aufnahme von Heiden in die Gemeinde begründet. (Sie hat inzwischen in der Mission schon begonnen.) Mt 8, 11 f. fügt eine Unheilsdrohung über Israel an.

Lk 10, 2–17 (aus Q) ist eine Einheit als Bericht über Aussendung und Rückkehr von 70 (72) Jüngern. Bei Mt (9, 37f.; 10, 5–16; 11, 20–24) sind die Worte verteilt und mit Mk 6, 6–11 gekoppelt. In Lk 10, 2–16 sind ursprüngliche Jesusworte und Missionserfahrung der Kirche verbunden. Die Rede beginnt: „Die Ernte ist groß, aber es sind nur wenige Arbeiter. Bittet daher den Herrn der Ernte, Arbeiter für seine Ernte zu senden." Israel ist zunächst dieses große Erntefeld. Dies wird deutlich durch Mt 10, 5f.: „Gehet nicht auf eine Straße zu den Völkern. Und in eine Stadt der Samariter gehet nicht. Gehet vielmehr zu den verlorenen Schafen des Hauses Israel." Dieses Wort intensiver Sorge steht nur bei Mt. Israel hat das erste Recht auf Gottes Botschaft und Gnade (wie dies auch Paulus Röm 1, 16; 2, 19f. sagt). Das Jesuswort Mt 10, 5f. wird also in Q ursprünglich sein. Die spätere Zeit des Lukas überging es, weil es durch die längst geübte Mission der Völker überholt schien.

Die in der Rede ausgesandten Boten sind im Sinne von Q zuerst die Boten der christlichen Gemeinde in Israel. Sie wissen sich und erfahren sich dabei wie Lämmer unter Wölfen (Lk 10, 3 = Mt 10, 16). Ihr Friedensgruß und die Botschaft von der Königsherrschaft Gottes erfahren Annahme, aber auch Zurückweisung (Lk 10, 5–11 = Mt 10, 7f. 11–13). Die Jünger und Apostel der Gemeinde sprechen in diesen Sätzen die Überzeugung von der Heilswichtigkeit ihrer Botschaft aus. Sie berichten freilich auch schon von der Erfahrung vergeblicher Bemühung um Israel. Das bittere Urteil über Israel steigert sich zu Weherufen und der Gerichtsdrohung über Chorazin, Betsaida und Kafarnaum (Mt 11, 20–24; Lk 10, 13–16). Die Niniviten und die Königin des Südens werden im nahen Endgericht hoch erhaben sein über das letzte, böse Geschlecht Israels (Mt 12, 38–42; Lk 11, 29–32). Dies scheinen schwerwiegende, letzte Worte im Rückblick auf vergebliches Wirken mit einer Ansage des Gerichtes zu sein, Lk 10, 15 benützt dabei Jes 14, 13–15. Hier mag urchristliche Auslegung der Propheten sprechen.

Von der Notwendigkeit radikaler Entscheidung, wie dies von der Gemeinde gefordert sein konnte, spricht die Mahnung zum Aufnehmen des Kreuzes (Q: Mt 10, 38 = Lk 14, 27; auch Mk 8, 34 = Mt 16, 24; Lk 9, 23). Ist ein solches Wort Jesu historisch möglich? Immerhin spricht schon Platon (Staat 360E–361A) wie visionär davon, daß der Gerechte zuletzt am Pfahl erhöht wird. Kreuzträger und Kreuz waren im Altertum mögliche Ereignisse und Aspekte und darnach Symbole des Ausgestoßenseins. Wann immer Jesus ein solches Wort vom Kreuznehmen als Aufforderung zu ernstester Bereitschaft gesprochen hat, so kann es doch kaum fraglich sein, daß Überlieferung und Evangelien das vollendete geschichtliche Kreuz Jesu dabei vor Augen hatten. Deshalb war es der Überlieferung so bedeutsam, daß es fünffach begegnet. So stand es auch in Q. Der asketische Sinn ist dabei deutlich in der Form von Lk 9, 23: „Wenn jemand mir nachfolgen will, verleugne er sich selbst, und nehme *täglich* sein Kreuz auf."

In Q standen auch Worte der Jüngerlobpreisung im Jubelruf Lk 10, 21–23 = Mt 11, 25–27; 13, 16f. Wenn Jesus die Offenbarung an die Unmündigen verkündet, die den Weisen und Klugen verborgen bleibt, mag ein Gegensatz zu den theologisch gebildeten Schriftgelehrten ursprünglich gemeint oder doch von der Überlieferung herausgehört worden sein. Dagegen sprechen die Jünger der Gemeinde von Q die Überzeugung von ihrer Begnadung aus.

In weiteren Sprüchen aus Q (Lk 11, 14f. 17–20 = Mt 12, 22–28) behaupten die Gegner Jesu, er stehe im Bunde mit Beelzebub und treibe so die Dämonen aus. Jesus erklärt und erhärtet, daß er mit dem Finger Gottes die Dämonen austreibe und also die Königsherrschaft Gottes angelangt sei. Es geht darum, sich für und mit Jesus zu entscheiden (Lk 11, 23 = Mt 12, 30). Dies ist offenbar eine Aufforderung, sich für die Gemeinde von Q zu entscheiden. Den Ungläubigen – Mt 12, 38 bezeichnet sie als „Schriftgelehrte und Pharisäer" – wird das geforderte wunderbare Zeichen verweigert. Gegeben ist nur die Predigt, wie einst des Jona in Ninive, so jetzt des Menschensohnes (Lk 11, 29f. = Mt 12, 39). Die weitere Deutung auf die Auferstehung Jesu am dritten Tag (nur Mt 12, 40) ist offenbar nachösterliche Fortführung des Logions.

Die Sammlung Q enthielt Anklagen und Drohworte gegen Israels Führer und Lehrer, die Pharisäer (Lk 11, 39–44) und Schriftgelehrten (Lk 11, 46–48). Diese Texte sind auch in die heftige Rede Mt 23, 13–26 aufgenommen. Die judenchristliche Gemeinde von Q ist noch dem Gesetz des Mose verbunden. Darum vermitteln Sprüche. Die Gabe des Zehnten soll man weiterhin leisten, noch mehr freilich das neue Gebot der Liebe Gottes (Lk 11, 42 = Mt 23, 23).

Im Zeugnis von Lk 12, 2–13, 21 sind Gegenwart und Erwartung der Gemeinde von Q beschrieben. Was bislang wohl noch in der Gemeinde verborgen ist, wird dann vor der weiten Öffentlichkeit („von den Dächern") verkündet werden (Lk 12, 2f. = Mt 10, 26f.). Die Boten des Evangeliums sollen nicht Menschen fürchten, sondern nur Gott (Lk 12, 4–12 = Mt 10, 28–31). Der Menschensohn zwar mag einst unbekannt – verborgen gewesen sein. Deshalb wird Gott dem verzeihen, der den Menschensohn bestritten hat. Doch nicht verziehen wird dem, der dem heiligen Geist, der nun in der Gemeinde und ihrem Zeugnis sich bekundet, widerspricht (Lk 12, 10 = Mt 12, 32). Deutlich ist es spätere Zeit, wenn den Jüngern gesagt ist, daß sie vor Synagoge, Machthaber und Behörden gebracht werden. Der heilige Geist wird die Jünger lehren, was sie sagen sollen (Lk 12, 11f. = Mt 10, 19f.). Weitere Worte mahnen vor der übertriebenen Sorge für das Leben, die die Welt umtreibt (Lk 12, 22–31 = Mt 6, 25–33). Zuversichtlich ist gesagt: „Fürchte dich nicht, du kleine Herde, denn der Vater hat beschlossen, dir das Reich zu geben" (Lk 12, 32 = Mt 6, 33). Hier spricht die Gewißheit der noch kleinen Jüngergemeinde, bald oder einst als Gottes Gemeinde offenbar zu werden.

In der Vollendungsrede von Q stand die Ansage, daß in der schon gegenwärtigen Endzeit sich vielleicht Familien entzweien (Lk 12, 52f. = Mt 10, 34–36). Die Erfahrung Jesu selbst (Mk 3, 20f.) wie wohl auch christlicher Familien ist hier gedeutet mit Micha 7, 6 LXX. Ein in Qumran gefundener Kommentar zu Micha (1 Q Micha) deutet die Prophetie auf den Lehrer der Gerechtigkeit, seine Freunde und Feinde.

Aus Q stammen sodann die Gerichtsworte über das gleichzeitige Israel (Lk 13, 25–27; vergleichbar Mt 7, 22f.): „Sie werden sagen: Wir haben vor deinen Augen gegessen und getrunken und auf unseren Straßen hast du gelehrt." Doch der Richter (Christus) wird antworten, daß er sie nicht kennt. Abraham, Isaak und Jakob werden in der Gottesherrschaft sein. Aus allen Völkern werden sie kommen, um Festgäste zu sein. „Ihr aber werdet hinausgeworfen." Die einstige geschichtliche Gemeinschaft mit Jesus wie die Zugehörigkeit zu Israel werden in der nahen Entscheidung bedeutungslos sein. Die Abweisung: „Weichet von mir, ihr Übeltäter" (Lk 13, 27 = Mt 7, 23) benützt Ps 6, 9 LXX.

Offenbar aus Q stammen die weiteren apokalyptischen Sprüche Mt 8, 11f. = Lk 13, 28f. Matthäus und Lukas fügen die Sprüche je an verschiedenen Stellen ein. Mt 8, 11 stehen sie im Anschluß an die

Erzählung vom Hauptmann von Kafarnaum. Bei niemand hat Jesus so großen Glauben gefunden wie bei dem heidnischen Hauptmann. So wird die Hoffnung auf das Heil der Völker begründet. Das Kommen der Völker wird Mt 8, 11 = Lk 13, 29 geschildert mit der Vorstellung der Völkerwallfahrt zum Gottesberg Sion (Jes 2, 2f.; 49,12; Mich 4,1f.; Am 9, 7; Tob 13,11; 14, 6f; ÄthHen 90,30–36) und dem Bild vom eschatologischen Freudenmahl (Jes 25, 6). Die sich vollziehende Völkermission ist in dem Spruch wohl schon vorausgesetzt. In der Kirche erfüllt sich nun die alte Schrift. Es spricht wohl christliche Schrifttheologie. Das Schicksal Israels wird Mt 8, 12 = Lk 13, 28 so beschrieben: „Die Söhne des Reiches werden ausgestoßen in die Finsternis draußen, wo Heulen und Zähneknirschen ist." Das Schicksal Israels ist als sehr schwer dargestellt. Das Logion benutzt die Schilderung des Gerichtes im Tale Gehinnom (Jes 66, 24; s. IV 7.2).

Das gegenwärtige Geschlecht Israels wird den Prophetenmord an den Boten des Evangeliums vollenden (Lk 11, 49–51 = Mt 23, 34–36; s. IV. 1.2.3.). Lk 13,34f. (= Mt 23,37–39) klagt über Jerusalem, das die Propheten getötet hat, und jetzt Schicksal und Schuld zu Ende bringen muß. Alle Bemühungen des Messias Jesus, das Volk zu sammeln, wurden durch Israels Führer vereitelt. Israel wollte sich nicht unter Gottes Schutz begeben. So wird es fortan ohne Gottes Schutz sein.

Doch hat Q nicht nur das Gericht anzusagen, sondern in geheimnisvoller Verheißung auch das Heil. Einst wird auch Israel den wiederkehrenden Menschensohn erkennen und anerkennen (Lk 13, 35 = Mt 23, 39). Die Verheißung gebraucht die mythische Erwartung der wiederkommenden Weisheit (ÄthHen 42, 2).

Das schon alttestamentlich überlieferte Bild des eschatologischen Freudenmahls (Jes 25, 6; Ps 22, 27; weiter ÄthHen 62, 13–15; 1QSa 2, 11–21; sodann Apk 3, 20; 19, 19) ist verwendet in den Parabeln vom Festmahl (Lk 14, 16–24) und vom königlichen Hochzeitsmahl (Mt 22, 1–10). Das Gleichnis erscheint auch im Thomasevangelium Logion 64. Eine gemeinsame Grundform ist je selbständig weiterentwickelt, wobei kaum zu entscheiden ist, wieweit dies schon durch die Überlieferung oder in der Redaktion der Evangelisten geschah. Jedenfalls ist wieder die Missionsgeschichte eingebracht. Gemeinsam ist die Sinnseite: Die zuerst Eingeladenen, das ist Israel, lehnen die Einladung ab. Dafür werden gnadenhaft andere gerufen, das sind die Völker. Die Parabel ist Warnung an Israel.

Für die Gemeinde von Q als judenchristliche Gemeinde war wesentlich wichtig die Frage der Gültigkeit des Gesetzes. Auch in der Überlieferung außerhalb von Q wurde die Frage in Sprüchen und beispielhaften Ereignissen behandelt (IV 5.1). In Q war die Frage anhand zweier Logien Lk 16,16f. erörtert. Lk 16,16 (= Mt 11,12f.) lautet: „Das Gesetz und die Propheten reichen bis Johannes. Von da an wird die Königsherrschaft Gottes verkündet." Gesetz und Propheten sind die beiden wesentlichen Teile des Alten Testaments. Seine Gültigkeit ist nun am Ende als dem Ziel angelangt, da das Königtum Gottes verkündet wird. Diesem aber „geschieht nun Gewalt": von seiten eifernder Pharisäer, der ungläubigen Menge, vielleicht auch vom Unverstand von Jüngern. Anders ist doch wohl gesagt Lk 16,17 (= Mt 5,18): „Eher werden Himmel und Erde vergehen, als daß ein Häkchen des Gesetzes hinfalle." Das Wort kann wohl nur verstanden werden als Formulierung einer streng judenchristlichen Gemeinde. Wenn Mt und Lk das Wort in das Evangelium aufgenommen haben, mögen sie es je in ihrem Sinn ausgelegt haben. Das alttestamentliche Gesetz gilt ihnen ja nicht dem Buchstaben nach. Die Gesetzeserfüllung geschieht gemäß den Antithesen Mt 5, 21–48. So erfüllt Jesus den Sinn des Sabbatgebotes (Mt 12, 8) wie der Speisegesetze (Mt 15,11) oder des Ehegesetzes nach Gottes Schöpfungsordnung (Mt 5, 31f.; 19, 3–9).

Die Sammlung Q beschrieb endlich die eschatologische Vollendung, wie dies die drei älteren Evangelien mit Benützung noch anderer Quellen tun. Eine Spruchkette von Q liegt wohl zugrunde Lk 17, 23–37, dem Mt 24, 26–28. 37–41; 25,14f. 29f. entspricht. Vor der Gemeinde mag hier Israel erscheinen, wenn die Rede mahnt, die nahe Ankunft des Menschensohnes gläubig zu bedenken, und nicht gleichgültig zu leben wie die Menschen in den Tagen des Noah und Lot (Lk 17, 26–29). Es wird eine gnadenlose Scheidung zwischen Menschen geben, die einander nahestehen (Lk 17, 34f.). Die Parusie wird sich überall ereignen, wo Menschen sind (Lk 17, 37). Vom Ernst des Gerichts handelt auch das Q zugehörende Gleichnis von den anvertrauten Minen und der Rechenschaft, die gefordert wird (Lk 19,11–27 = Mt 25,14–30), wenn auch die Ankunft des Menschensohnes–Richters sich verzögern mag (Lk 19, 11 = Mt 25,19). Wird nicht auch diese Parabel mit besonderem Ernst an das gleichgültige gleichzeitige Israel gerichtet sein? Die Kirche mußte angesichts der ausbleibenden Parusie Spötter hören, die fragten: Wo bleibt die Verheißung seiner Wiederkunft? (2 Petr 3, 3f.). Mußte die Gemeinde von Q solche Fragen auch von Israel hören und zu beantworten versuchen?

Die christliche Gemeinde mußte als kleinere und unterlegene Minderheit inmitten des bisherigen Israels leben. Es war ihr nicht leicht, sich zu behaupten. Lk 10,16 (Mt 10, 40) ist die Predigt der Jüngergemeinde gleichgesetzt mit dem Wort Jesu und endlich mit dem Wort Gottes. Die Kirche ist ihres Seins gewiß.

2. Evangelium nach Markus

Blevins, J. L.: The Messianic Secret in Markan Research 1901–1976. 1981. *Focant, C.:* L'incompréhension des Disciples dans le deuxième évangile, in: RB 82 (1975) 161–185. *Gnilka, J.:* Die Verstockung Israels. Isaias 6, 9–10 in der Theologie der Synoptiker (StANT 3). 1961. *Haufe, G.:* Erwägungen zum Ursprung der sogenannten Parabeltheorie, in: EvTh 12, 1972, 413–421. *Kee, H. C.:* Mark as Redactor and Theologian, in: JBL 80, 1971, 333–363. *Newman, R. G.:* Tradition and Interpretation in Mark. 1964. *Pesch, R.:* Das Markusevangelium (WdF 411). 1979. *Sjöberg, E.:* Der verborgene Menschensohn in den Evangelien. 1955. *Strecker, G.:* Zur Messiasgeheimnistheorie im Markusevangelium, in: Studia evangelica 3, 2 (TU 88). 1964, 87–109. *Wrede, W.:* Das Messiasgeheimnis in den Evangelien. Ndr. 3. Aufl. 1965.

Neben, wohl nach der Spruchquelle Q ist das Markusevangelium eine andere frühe Quelle für eine Erkenntnis des Verhältnisses von Judentum und Christentum. Jesus beginnt sein Wirken in Galiläa (Mk 1,14), womit sich prophetische Verheißung erfüllt (Jes 8, 23; 9, 1). In dieser seiner Heimat wird Jesus bei seinem Auftreten gehört und angenommen. Er predigt in der Synagoge in Kafarnaum, und sie staunen über die Macht seiner Lehre (Mk 1, 22). Jesus verkündigt: „Die Zeit ist erfüllt. Die Königsherrschaft Gottes ist herbeigekommen" (Mk 1, 15; s. IV 7. 3). In Israel sprach man seit Jahrhunderten von gegenwärtiger (Ex 15,18; 19, 6; Jes 6, 5; Ps 47, 3) und künftiger Königsherrschaft Gottes (Dan 2, 44). „Herrschaft Gottes" bedeutet dabei einen Zustand; „Reich Gottes" eine Ausdehnung. In Gottes Reich werden alle Völker nach Sion kommen (Jes 24, 23; Sach 14, 9; 1QM 8, 6; Mt 8,11; Lk 13, 29). Die Kunde von Jesus verbreitet sich weitum, und von weither kommen sie, um ihn zu hören (Mk 1, 28). Er heilt die Schwiegermutter des Simon vom Fieber (Mk 1, 30f.). „Als es Abend geworden war, brachten sie alle zu ihm, die krank und besessen waren ... Und er heilte viele, die an manchen Krankheiten litten, und trieb viele Dämonen aus und ließ die Dämonen nicht reden, weil sie ihn kannten" (Mk 1, 32–34; ähnlich 1, 45; 2,1. 12.15; 3, 7f. 20. 32; 4,1. 21; 6, 2f.

54–56; 9,14f.; 10, 46). Sind dabei auch redaktionelle Summarien, so sprechen eben sie die Vorstellung und Überlieferung aus, daß Jesus zunächst viele Anhänger hatte. Aus ihnen beruft er die Apostel, die ihm ohne Zögern folgen (Mk 1,16–20; 2,14; 3,13–19; s. IV. 6.2.1.). Mit einem engeren Kreis von Jüngern, auch Zöllnern und Sündern, hält er Tischgemeinschaft (Mk 2,15f.; Mt 11,19; 15,17). Zu den Menschen aus Galiläa kommt eine große Menge auch aus Judäa, Idumäa, von jenseits des Jordan und aus der Gegend von Tyrus und Sidon (Mk 3,7–10). Große Volksmengen, die ihm gefolgt waren und das Essen vergaßen, speist er wunderbar mit Brot; einmal 5000 Männer (Mk 6, 44), einmal 4000 Menschen (Mk 8, 9). (Die beiden Berichte sind offenbar Überlieferungsdubletten.)[1]
. Damals nun stieg Jesus auf einen Berg, was die Bedeutung des Geschehens anzeigt. Berg ist Erhabenheit über Menschen und Welt und Nähe Gottes. Und Jesus „schuf die Zwölf, daß sie bei ihm seien und daß er sie aussende" (Mk 3,13–19). Die Zwölf bedeuten die 12 Stämme Israels, die von ihren Aposteln jetzt und bei der Vollendung (Mt 19, 28; Lk 22, 29f.) dargestellt werden. – Jesus offenbart sich als Menschensohn (Mk 2,10.28) wie als Messias (Mk 8, 29; 9,10), wenigstens so, daß er das Zeugnis des Petrus gelten läßt. Doch sein Geheimnis bleibt in Galiläa noch verborgen, da er immer wieder die Verkündigung seiner Messianität untersagt (Mk 1, 44f.; 3,12; 5,43; 7,24.36). Es beginnen aber auch Auseinandersetzung und Ablehnung. Seine Familie will Jesus heimholen. Sie verstehen ihn nicht mehr, da sie sagen: „Er ist von Sinnen." Jesus vollzieht die Distanz auch selber (Mk 3, 21. 31–35). Auch in der Heimat Nazareth nahmen „die vielen" an ihm Anstoß. „Und er konnte dort keine Wunder tun" (Mk 6, 4–6). Mk 2,1–3, 6 läuft eine Reihe Streitgespräche ab, die vielleicht Markus schon gesammelt vorlagen. Dann waren wohl darin auch schon 2, 24 und 3, 6 die Pharisäer als Gegner Jesu genannt (III 2). Im Ablauf der Geschichte nach Markus ist ihr Auftritt nicht vorbereitet. Zumal unerwartet ist die Bemerkung Mk 3, 6: „Sie berieten, wie sie ihn verderben könnten." Schon erscheint

---

[1] Ein Jude – P. J. Lapide – stellt fest: „26 Stellen bei Matthäus, 28 bei Markus und 35 bei Lukas bezeugen in verschiedentlicher Nuancierung die Tatsache, daß weite Kreise des jüdischen Volkes, sowohl in Galiläa als auch in Judäa, Jerusalem und anderwärts von Jesus beeindruckt waren, ihm tagelang zuhören konnten, an ihm hingen, ihm Nachfolge leisteten, mit ihm zogen und ihm wiederholt einen ehrfürchtigen, liebevollen Empfang bereiteten" (P. J. Lapide – U. Luz, Der Jude Jesus. Thesen eines Juden. Antworten eines Christen, 1979, 68).

das Kreuz. Als Gegner Jesu treten auf mit den Pharisäern Mk 3, 6 die Parteigänger des Herodes und Mk 3, 23; 7, 1 die Schriftgelehrten, die aus Jerusalem gekommen waren (III 3). Mit den Pharisäern kommt es Mk 3, 1–6 zu einer Auseinandersetzung über das Sabbatgebot; mit den Pharisäern und Schriftgelehrten Mk 7, 1–12 zu einem heftigen Streit über Gebot und Sitte der Reinheit der Speisen und über menschliche Überlieferung im Gegensatz zu Gottes Gebot (Mk 7, 1–12; s. IV. 5. 1.). Sie verlangen ein Zeichen vom Himmel, ohne es zu erhalten (Mk 8, 11 f.).

Der Gegensatz setzt sich fort, nachdem Jesus Galiläa verlassen hat und in Judäa wandelt. Die Volksscharen sammeln sich weiterhin um den lehrenden Jesus (Mk 10, 1). Die Pharisäer aber versuchen ihn mit der Frage über die Ehescheidung (Mk 10, 2 = Mt 19, 3–9; als Logion in Q Mt 5, 32 = Lk 16, 18; s. IV. 3. 2.) Jesus bringt die ursprüngliche Schöpfungsordnung der Einehe gegen die Willkür der Gesetzesauslegung wieder zur Geltung. Die Auseinandersetzung zwischen Jesus und den Pharisäern ist also wieder ein Streit über das wahre Gesetz Gottes.

Als Jesus und seine Jünger nach Jerusalem kommen, werden sie vor den Toren der Stadt von den Volksscharen mit Jubel empfangen (Mk 11, 8–11). In Jerusalem treten jedoch nur Gegner Jesu auf. Alles wird Gegensatz und Bestreitung. In Jerusalem reinigt Jesus den Tempel vom Kultbetrieb (Mk 11, 15–18). Aus der Verheißung des Propheten (Jes 56, 7) macht Jesus eine Drohung: „Mein Haus wird Haus des Gebetes für alle Völker heißen." Die Heiden also treten das Erbe Israels an. Die eschatologische Umkehr und Vollendung der Heilsgeschichte ist nahe. Markus versteht wohl die bestehende Kirche als die Erfüllung dieser Verheißung. – Jesus verflucht einen fruchtlosen Feigenbaum: „Er soll in Ewigkeit keine Frucht mehr bringen." Dies bedeutet die ewige Unfruchtbarkeit und Verwerfung Israels (Mk 11, 12–14. 20 f.). Die Hohenpriester und Schriftgelehrten versuchen, Jesus „ins Verderben zu bringen". Sie fürchten ihn, weil „alles Volk ihm anhing" (Mk 11, 18 f.). Jesus verweigert die Antwort, da ihn anderntags die Hohenpriester, Schriftgelehrten und Ältesten nach seiner Vollmacht fragen (Mk 11, 27–33).

Anzuführen ist freilich auch noch als ein Zeugnis möglichen Einvernehmens Mk 12, 28–34 (= Mt 22, 34–40; Lk 10, 25–28). Gegenüber den Sadduzäern als Leugnern der Totenauferstehung bekundet Jesus den Auferstehungsglauben. „Da er verstand, daß Jesus trefflich geantwortet hatte", fragte ihn darauf ein Schriftgelehrter nach dem wichtigsten von allen Geboten. Jesus antwortet mit dem Doppelgebot der Gottes- und Nächstenliebe, indem er Dtn 6, 5 und Lev 19, 18 verbindet, wie dies (wenigstens dem Inhalt nach) auch sonst geschehen mochte; so in den Zwölfertestamenten (Test-Dan 5,21; TestIss. 5,2; 7,6) und bei Philon (Einzelgesetze 2,6; s. IV. 5.3.3.).

Jesus bewegt sich also innerhalb jüdischer Auslegung des Gesetzes. Der Schriftgelehrte bekundet emphatische Zustimmung. Und Jesus antwortet: „Du bist nicht weit vom Reiche Gottes." Matthäus und Lukas ändern bedeutungsvoll. Beide besagen, daß der Gesetzeskundige Jesus fragte, „um ihn zu versuchen"; sie unterstellen also eine böse Absicht. Bei beiden späteren Evangelisten fehlt auch der Dialog des Einvernehmens zwischen Jesus und dem Lehrer. Hatte schon die von Matthäus und Lukas benutzte Markus-Vorlage diese Änderungen vorgenommen, oder taten dies Matthäus und Lukas je unabhängig voneinander? Jedenfalls ertrug die Überlieferung das Einvernehmen zwischen Jesus und dem Gesetzeslehrer nicht mehr.

In diesen letzten Tagen lehrt Jesus weiterhin in Gleichnissen; so mit der Parabel von den bösen Winzern (Mk 12,1–12 = Mt 21, 33–46; Lk 20, 9–19); auch im Thomasevangelium Logion 65. Im Alten Testament ist Israel als Gottes kostbarer Weinberg beschrieben (Jes 5, 1–2, welches Wort Mk 12,12 anklingt, sodann Jer 2, 21; Ez 17, 5–10; Hos 10,1). In der Gleichniserzählung der Synopse sendet Gott als der Herr des Weinbergs Knechte, die die Pacht einfordern sollen. Sie werden von den Pächtern mißhandelt, ja getötet. Endlich sendet der Herr seinen „einen lieben Sohn"; auch ihn töten die Winzer, und sie werfen ihn aus dem Weinberg hinaus. So hoffen sie, die Erben zu werden. „Was wird der Herr des Weinberges tun? Er wird kommen, die Winzer vernichten und den Weinberg anderen geben." Der Sinn der Gleichniserzählung ist offenkundig. Der Weinberg ist Israel. Die Boten sind die Propheten (so auch Jer 7, 25; 25, 4; Am 3, 7; Sach 1,6; 1QHab 2, 9; 7, 5). Der Sohn ist Jesus Christus. Israel verliert seine Berufung. Andere, die Heiden, treten an seine Stelle. Der christologische Sinn wird Mk 12,10 f. (und Parallelen) in einem Herrenwort verdeutlicht: „Der Stein, den die Bauleute verworfen haben, wurde zum tragenden Grundstein." Damit wird Ps 118, 22 messianisch gedeutet (wie dies auch bisweilen durch die Rabbinen geschah; s. Strack-Billerbeck, Kommentar 1, 875f.). Ps 118, 22 war dem neutestamentlichen Weissagungsbeweis wichtig. Als Ankündigung von Tod und Erhöhung Christi wird Ps 118, 22, ebenso Mk 8, 31; Apg 4, 11; 1 Petr

2. 4. 7; Barnabas 6, 2 gebraucht. Danach wird auch Mk 12,10f. Weissagungsbeweis der Gemeinde vorliegen. Der Bezug des Gleichnisses auf den Tod Jesu ist verdeutlicht Mt 21, 39 und Lk 20,15, wenn hier als Reihenfolge der Untat am Sohn geschrieben ist: „Sie warfen ihn hinaus und töteten ihn." Dies ist die Abfolge der Ereignisse in der geschichtlichen Passion Jesu, die aber auch tiefere Bedeutung hat. Er stirbt außerhalb der Stadt (Hebr 13,10f.). Der Gegensatz zu Israel ist bei der Parabel von Anfang an deutlich, wenn sie Mk 11, 27 (und Parallelen) gerichtet ist „an die Hohenpriester, die Schriftgelehrten und Ältesten", also an jenes Synedrium, das über Jesus den Todesbeschluß gefaßt hat (Mk 8, 31; 14, 1). Die Exegese fragt, ob die Parabel ursprünglich ein Wort Jesu ist oder eine Schöpfung hellenistisch-christlicher Theologie: wegen der christologischen und gemeindegeschichtlichen Bezüge und weil die Erzählung nicht eigentlich ein Gleichnis mit *einem* zu vergleichenden Motiv, sondern eine kunstvolle Allegorie ist, in der mehrere Motive eine je gemeinte Sache bedeuten.

Die endgültige Trennung Jesu von Israel beschreibt Mk 13,1f.: „Jesus geht aus dem Tempel hinaus." Er spricht dazu das Drohwort gegen das prachtvolle Bauwerk: „Kein Stein wird auf dem anderen bleiben." Die Zerstörung des Tempels wird auch von den Propheten angesagt (Mi 3,12; Jer 7,14; 20, 5 wie ÄthHen 90, 28). Das Wort Jesu hat tiefe Wirkung hinterlassen. Es erscheint wieder Mk 14, 58; 15, 29.

Mk 4,10–12 (= Mt 13,10–15; Lk 8, 9f.) stellt eine resümierende Reflexion über die Wirksamkeit des Wortes Jesu dar. Dieses wird „denen, die draußen sind", in Gleichnissen zuteil, damit sie sehen und nicht schauen und hörend nicht verstehen, damit sie nicht umkehren und ihnen nicht vergeben wird. Mit „denen draußen" – im Gegensatz zum Jüngerkreis – sind sicherlich auch die Juden gemeint. Die Wirkung ist beschrieben mit Jes 6, 9f. (wie auch Apg 28, 26f. und Joh 12, 40). Es spricht also die Weissagungstheologie der Gemeinde. Daß sich Prophetie erfüllt, mindert aber die Schuld nicht. Es ist nicht leichtzunehmen, daß Mk 4, 12; Lk 8, 10 (*„damit sie nicht verstehen"*) das Unverständnis als gewollt beschrieben ist. Bereits Mt 13, 13 („da sie nicht verstehen") ist dies gemildert. Unsere Exegese bemüht sich bis heute, den Text (Jes 6, 9f. in diesem Sinn zu erklären: „Da", „so daß", „damit erfüllt werde". Das Wort steht im Aufbau des Markusevangeliums, lange bevor die Entscheidung sich vollzog.

Die Sammlung von Streitgesprächen Mk 1, 21–3, 5 schließt überraschend (Mk 3, 6): „Da gingen die Pharisäer hinaus und hielten alsbald mit den Anhängern des Herodes Rat, wie sie ihn verderben könnten." Dem Ablauf der Geschichte Jesu noch in Galiläa sind drei Leidensweissagungen beigefügt (Mk 8, 31; 9, 31; 10, 33): „Der Menschensohn müsse viel leiden und von den Ältesten, den Hohenpiestern und den Schriftgelehrten verworfen und getötet werden." Dies vollzieht sich Mk 14, 1. Hinter dem Vordergrund der noch freundlichen Geschichte des Evangeliums ist die Entscheidung bereits geschehen. Der Gegensatz zwischen Jesus und Israel ist schon immer da.

Der auferstandene Christus aber wird den Aposteln nach Galiläa vorausgehen (Mk 14, 28). Dort werden die Jünger den Erhöhten erfahren (Mk 16, 17). Trotz allen menschlichen Versagens bleiben doch das von Jesus in Galiläa verkündete Wort und das vollbrachte Heil göttliche Wirklichkeit. Hier ist heiliges Land.

3. Evangelien nach Matthäus und Lukas

Evangelium nach Matthäus

Bartsch, W.: Urgemeinde und Israel. Die Geschichte der ersten christlichen Zeugen auf dem Hintergrund der alttestamentlichen Hoffnung. 1968. *Becker, G.:* Der Weg der Gerechtigkeit. Untersuchungen zur Theologie des Matthäus (FRLANT 82). 2. Aufl. 1966. *Ben Chorin, Sch.:* Mutter Mirjam. 1971. *Bornkamm, G. – Barth, G. – Held, H. J.:* Überlieferung und Auslegung des Matthäus-Evangeliums. 6. Aufl. 1970. *Frankemölle, H.:* Jahwebund und Kirche Christi. Studien zur Form- und Traditionsgeschichte des „Evangeliums" nach Matthäus (NtA NF 10) 2. Aufl. 1984. *Garland, D.:* The intention of Matthew 23 (Nov. Test. Suppl. 52). 1979. *Gundry, R.:* The Use of the Old Testament in St. Matthew's Gospel (Nov. Test. Suppl. 18). 1967. *Haenchen, E.:* Matthäus 23, in: Ders., Gott und Mensch. Gesammelte Aufsätze, 1965, 29–54. *Hummel, R.:* Die Auseinandersetzung zwischen Kirche und Judentum im Matthäus-Evangelium (Beitr. z. Ev. Theol. 33). 3 Aufl. 1966. *Kümmel, G.:* Studien zum Gemeindeverständnis des Matthäus-Evangeliums. 1978. *Lange, J.:* Das Matthäusevangelium (WdF 525). 1980. *Pesch, R.:* Der Gottessohn im matthäischen Evangeliumsprolog (Mt 1–2). Beobachtungen zu den Zitationsformeln der Reflexionszitate, in: Bibl 48, 1967, 395–420. *Rothfuchs, N.:* Die Erfüllungszitate des Matthäus-Evangeliums (BWANT 89). 1969. *Sand, A. A.:* Das Gesetz und die Propheten. Untersuchungen zur Theologie nach Matthäus (Bibl. Unters. 11). 1974. *Schottroff, W.:* Der altkirchliche Fluchspruch (WMANT 30). 1969. *Schweizer, E.:* Matthäus und seine Gemeinde

(SBS 7). 1974. *Strecker, G.:* Der Weg der Gerechtigkeit. Untersuchungen zur Theologie des Matthäus (FRLANT 82). 2. Aufl. 1966. *Sugge, W.:* Wisdom, Christology and Law in Matthew's Gospel. 1970. *Tilborg, S. van:* The Jewish Leaders in Matthew. 1972. *Trilling, W.:* Das wahre Israel (StANT 10). 3. Aufl. 1964. *Zeller, D.:* Die weisheitlichen Mahnsprüche bei den Synoptikern (AzB 17), 1972.

Die Evangelien nach Mt und Lk bieten in ihrem über Q und Mk hinausgehenden Sondergut Hinweise und Beiträge zur Auseinandersetzung zwischen der Kirche und Israel. Mt und Lk schicken der Überlieferung von Q und Mk je eine Geschichte über die Menschwerdung des Sohnes Gottes in Christus voraus, in der der jüdische Ursprung des Evangeliums deutlich wird. Dabei fügen Mt (1, 2–17) wie Lk (3, 23–38) je einen Stammbaum Jesu ein. Mt und Lk kannten sich gegenseitig nicht, wußten also auch nichts von der Beifügung eines Stammbaums im anderen Evangelium. In der Tat zeigen auch ihre Stammbäume so große Unterschiede, daß sie schwerlich auszugleichen sind. Bedeutsam ist, daß beide Evangelien das Bedürfnis haben, einen Stammbaum Jesu beizubringen und einzufügen. Wesentlich wichtig sind beiden Stammbäumen die Namen David und Abraham, da der Messias als deren Nachkomme erwartet wird. Seit der Rückkehr aus der Babylonischen Gefangenschaft legten die Juden auf den Nachweis der Reinheit des Blutes großen Wert (Josephus, Leben 1–6; Gegen Apion 1, 30–37). Jener Nachweis war Voraussetzung für das Priesteramt (Esr 2, 61–63; Neh 7, 63–65) und andere Ämter. Die messianisch-eschatologische Erwartung veranlaßte davididische Stammbäume (wie Mt 1, 5f.; Lk 3, 31; Röm 1, 3). Mt führt den Stammbaum Jesu bis auf Abraham zurück, wobei die Liste 3 × 14 Gruppen bildet (1, 17). Zeigt dies die heilige Zahl 7 in der Genealogie Jesu an, wobei vielleicht überdies 14 als Chronogramm für David (Buchstabenwerte 4 + 6 + 4) die davididische Struktur anzeigt? Lk geht auf Adam und Gott zurück. Dies ist ein Unterschied zwischen den Interessen der jüdischen und hellenistischen Gemeinde. Während jener an der Erfüllung der Erwartung des Alten Testamentes lag, so dieser an der universalen Aussage, daß in Christus die neue Menschheit beginnt, indem dieser der neue Adam ist (Röm 5, 14–21; 1 Kor 15, 22. 45–49; Apg 17, 26–31). Wenn der Stammbaum bei Lk 77 (11 × 7) Glieder zählt, dann liegt vielleicht das Schema einer Zwölf-Perioden-Apokalypse zugrunde (SyrBar 53–72; 4 Esra 14, 11). Jesus wäre am Ende der elften Weltperiode geboren und der Anfänger der zwölften und letzten eschatologischen Epoche.

Im Matthäus-Evangelium wird noch um die alte Ordnung gerungen; so hinsichtlich des Sabbatgebotes. Das alte Gebot wird ausführlich kasuistisch beschrieben. Doch ist zuletzt der Menschensohn Herr über den Sabbat (Mt 12, 1–8). Und das Liebesgebot ist mehr als der Sabbat (Mt 12, 9–14). Das doppelte Liebesgebot ist der Inhalt des ganzen Gesetzes und der Propheten (Mt 12, 40). Doch es bleibt (Mt 24, 20): „Betet aber, daß eure Flucht nicht im Winter geschehe, noch am Sabbat." Dem frommen Juden ist nur der kurze „Sabbat-Weg" (Apg 1, 12) erlaubt. Es wäre äußerste Strenge, wenn dies in der Katastrophe der Endzeit wörtlich gelten sollte. Wohl aber gilt in der Gemeinde, aus deren Überlieferung Mt 24, 20 genommen ist, noch das alte Sabbat-Gebot.

Mt 23 bildet die Redaktion des Evangelisten eine heftige Auseinandersetzung mit Israel, insbesondere auch dem Rabbinat. Mt 23, 2 f. (Sondergut) ist zunächst die Lehrautorität der Schriftgelehrten und Pharisäer voll anerkannt. Die christliche Gemeinde jener Zeit bemühte sich noch um Befolgung der Gesetzeslehre. Kritischer (und späterer Zeit zugehörend) ist dann die Beurteilung der Lehrer Mt 23, 3–7. Die jüdischen Gesetze legen schwere Lasten auf. Es spricht Reformjudentum oder judenchristliche Befreiung. Mt 23, 8–12 besagen, daß die Kirche eine andere Ordnung hat als die Synagoge. Christliche Gemeinde ist Bruderschaft.

Die sieben Weherufe gegen die Schriftgelehrten und Pharisäer (Mt 23, 13–36) verbinden Logien aus Q und Mk und ergänzen oder verschärfen sie (s. III. 2.). Im ganzen ist wohl spätere Zeit dargestellt, in der Kirche und Synagoge zwei getrennte Religionen, ja feindliche Gemeinschaften sind. Mt 23, 15 läßt Gegnerschaft zwischen jüdischer und christlicher Mission erkennen. Mt 23, 3 ist jüdische Gesetzeserfüllung sinnvoll und richtig. Aber es gibt doch ein neues Gesetz, Recht, Erbarmen und Glauben. Das ist die beginnende Freiheit des christlichen Gesetzes. Mt 23, 29–32. 35 erscheint der Vorwurf des Mordes an christlichen Propheten wie alttestamentlichen Heiligen. Ist die Anklage zu rechtfertigen (IV. 1.3.2.)? Mt 23, 16 scheint der Tempel noch vorausgesetzt; dann ist die Zeit vor 70 anzusetzen. Nach Mt 23, 23 soll man das Verzehnten nicht lassen. 23, 24–36 spricht jedoch christliche Erfahrung des Martyriums aus (wie Mt 10, 27–35 nach Mk 13, 9–13). Mt 23, 37–39 klagt über das gewaltsame Schicksal Jesu wie des Tempels und Jerusalems. Ist die Zeit nach 70 für Mt 23 vorausgesetzt, ist die Situation schwierig, ja vielleicht tragisch zu nennen. Das Judentum konnte nach dem Verlust aller staatlichen Macht nur überleben, da es sich um das Gesetz und seine Lehrer, die Pharisäer, sammelte. Die judenchristliche Minderheit mußte sich davon distanzieren und eine neue Ordnung finden.

Eine Besonderheit des Mt-Evangeliums sind die zahlreichen wörtlichen Zitate des Alten Testaments: „Dies geschah, damit erfüllt werde, was gesagt wurde . . ." (1, 23; 2, 6. 15. 17. 23; 4, 14–16; 8, 17; 12, 17–21; 13, 35; 21, 4 f.; 27, 9 f.). Um die genaue Entsprechung zwischen alttestamentlicher Schrift und der nunmehrigen Geschichte herzustellen, bildet Mt die Geschichte um, wenn 21, 2–7 aufgrund des falsch verstandenen Zitates Sach 9, 9 Jesus mit zwei Tieren reitend in Jerusalem einzieht. Das Alte Testament ist für Mt wichtiger Zeuge gegen Israel, da die Schrift gegen Israel für Jesus als Messias spricht. Das ganze Evangelium ist zunächst Bemühung und Werbung um Israel. Jesus lehrt in ganz Galiläa und heilt (Mt 9, 35). Die Apostel werden zunächst für Israel ausgesandt; sie sollen nicht auf den Wegen zu den Heiden und in die Städte der Samariter gehen (Mt 10, 5 f.). Jesus selbst weiß sich nur zu den verlorenen Schafen des Hauses Israel gesandt (Mt 15, 24). Doch Israel verliert das ursprüngliche Recht. Es versagt sich der Einladung zum messianischen Hochzeitsmahl (Mt 22, 1–14). Die Führer Israels überliefern Jesus dem Tode (Mt 26, 3 f.). Das Volk verlangt sein Blut (Mt 27, 24). Am Ende des Evangeliums steht der Sendungsauftrag an alle Völker (Mt 28, 19 f.). Die Kirche ist das wahre Israel, da in ihr sich die Verheißungen und Erwartungen des (alten) Bundes erfüllen (Mt 26, 28).

In der Kindheitsgeschichte Jesu nach Mt 2, 1–12 erscheint auch die Erzählung vom Besuch der Magier und ihrer Anbetung des Kindes Jesus: „Der König Herodes und ganz Jerusalem erschraken." Das Kind und seine Eltern müssen nach Ägypten fliehen, während in Judäa Kinder gemordet werden. Damit erscheint von Anfang an das für Mt wichtige Motiv, daß Israel sich ausschließt, während die Völker zum Heil gelangen.

Innere und äußere Auseinandersetzung der judenchristlichen Minderheit mit der starken jüdischen Gemeinschaft läßt auch die Bergpredigt Mt 5–7 erkennen. Mt 5, 17–20 ist das Problem des Gesetzes brennend (IV. 5. 1.). Mt 5, 21–48 ist die neue Gerechtigkeit gelehrt: „Ihr habt gehört . . . Ich aber sage euch." Mt 6, 1–18 ist die Gerechtigkeit der Pharisäer als unzureichend enthüllt. Die falschen Propheten, von denen 7, 15. 22 die Rede ist, sind offenbar auch solche, die das Gesetz leichtfertig auflösen.

Mit Sondergut berichtet Mt 17, 24–27 von der Zahlung der Tem-

pelsteuer. Als der Steuereinnehmer die Doppeldrachme von Jesus
und den Jüngern fordert, sagt Jesus, daß die Jünger Jesu ja doch als
Königssöhne nicht zur Zahlung der Steuer verpflichtet sind. Der
freie Sohn Jesus macht auch die Jünger zu freien Söhnen (Mt 5, 9 f.;
Gal 4, 4 f.). Jesus aber bejaht die freiwillige Leistung, „um den Juden keinen Anstoß zu geben". Die Jüngergemeinde ist also von der
jüdischen Tempelgemeinschaft frei. Aber in Fragen, die nicht
wesentlich entscheidend sind, soll die jüdische Gemeinschaft nicht
verletzt werden. Gott, der Herr, wird dann der Jüngerschar Jesu
mit seiner Gabe helfen (Mt 17, 27).

Sondergut des Mt (21, 28–32) ist wieder das Gleichnis von den
zwei Söhnen. Der Erstbeauftragte antwortet Ja, geht aber dann
doch nicht in den Weinberg. Der Zweitberufene antwortet Nein,
geht aber dann hin. Die zuerst Berufenen sind offenbar die Juden,
die Gottes Reich verfehlen. Die anderen, die es gewinnen, sind „die
Zöllner und die Dirnen", wohl auch die Heiden. Diese Scheidung
zwischen Israel und den Völkern wird intensiviert durch die bei Mt
folgenden Gleichnisse von den bösen Winzern (21, 33–46) und dem
königlichen Hochzeitsmahl (22, 1–10). Indem Mt 22, 11–14 das
Gleichnis von dem Gast ohne Hochzeitsgewand anfügt, werden die
Gleichnisse freilich zu einer Warnung an die Gemeinde, der das
gleiche Schicksal des Gerichtes wie Israel droht.

Belastende Texte erscheinen als Sondergut in der Leidensgeschichte nach Matthäus. In der Auseinandersetzung zwischen Pilatus und den Juden, die die Kreuzigung Jesu fordern, wird, gegenüber dem Markus-Evangelium, die Schuld des Pilatus gemindert,
die der Juden gesteigert. Juden (Mt 27, 22), ja das ganze Volk
(Mt 27, 25) fordern die Kreuzigung Jesu. Pilatus demonstriert
durch das Waschen der Hände seine Unschuld und Ohnmacht vor
dem Volk (Mt 27, 24). Nur Matthäus berichtet, daß sich ganz Israel
versammelte und den Tod Jesu forderte. Geschichtlich betrachtet
kann sich ja vor dem Palast des Pilatus nicht das ganze Volk versammelt haben. Das Volk fordert: „Sein Blut komme auf uns und
unsere Kinder" (Mt 27, 25). Die Selbstverfluchung Israels ist ent-
setzlich.[2] Mt 26, 28 wie Hebr 12, 24 bekennt christlicher Glaube,

---

[2] Kampling, R.: Das Blut Christi und die Juden. Mt 27, 25 bei den latei-
nischsprachigen christlichen Autoren bis zu Leo dem Großen (NtA NF
16). 1984. Schelkle, K. H.: Die „Selbstverfluchung" Israels nach Mt
27, 23–25, in: Ders.: Die Kraft des Wortes. Beiträge zu einer biblischen
Theologie. 1983, 89–97.

daß das Blut Jesu Versöhnung wirkt. Das Matthäus-Evangelium ist nach 70 n. Chr. nach der Verwüstung des Tempels und der Stadt Jerusalem geschrieben. Hat sich der Fluch nach dem Verständnis des Evangeliums in diesen Ereignissen erfüllt? Oder wirkt er, wie wohl christliche Deutung gemeint hat, durch alle Zeiten weiter?

Nur Mt 27, 62–64 berichtet, daß die Hohenpriester und Pharisäer von Pilatus die Bewachung des Grabes Jesu bis zum dritten Tag als dem von Jesus vorausgesagten Tag seiner Auferstehung fordern. Der Haß der Juden geht über den Tod Jesu hinaus weiter und findet immer neuen Ausdruck. Die Geschichte setzt sich fort in der Bestechung der die Auferstehung bezeugenden Wächter durch dieselben Hohenpriester und Pharisäer. Die Wächter sollen verbreiten, die Jünger Jesu hätten den Leichnam gestohlen (Mt 28, 11–15). Das Gerücht lief um bis zur Abfassung des Evangeliums. Das Evangelium nach Matthäus nimmt in seinem Sondergut antijüdische Legendenbildung auf.

Evangelium nach Lukas

Bachmann, M.: Jerusalem und der Tempel. Die geographisch-theologischen Elemente in der lukanischen Sicht des jüdischen Kultzentrums (BWANT 109). 1980. *Braumann, G.:* Das Lukasevangelium. Die redaktions- und kompositionsgeschichtliche Forschung (WdF 280). 1974. *Busse, U.:* Das Nazareth-Manifest Jesu. Eine Einführung in das lukanische Jesusbild nach Lk 4, 16–30 (SBS 91). 1978. *Conzelmann, H.:* Die Mitte der Zeit. Studien zur Theologie des Lukas. 6. Aufl. 1977. *George, A.:* Israel dans l'œuvre de Luc, in: RB 25, 1968, 481–525. *Goudoever, J. van:* The Place of Israel in Luke's Gospel, in: Nov. Test. 8, 1966, 111–125. *Gräßer, E., u. a. (Hrsg.):* Jesus in Nazareth (ZNWB 40). 1973. *Holtz, T.:* Untersuchungen über die alttestamentlichen Zitate bei Lukas (TU 104). 1968. *Lohfink, G.:* Die Sammlung Israels. Eine Untersuchung zur lukanischen Ekklesiologie (StANT 29). 1975. *Reicke, B.:* Jesus in Nazareth, in: Balz, H., S. Schulz (Hrsg.), Das Wort und die Wörter (FS G. Friedrich). 1973, 47–55. *Rese, M.:* Alttestamentliche Motive in der Christologie des Lukas (StANT 1). 1969. *Schürmann, H.:* Zur Traditionsgeschichte der Nazaretperikope Lk 4,16–30, in: A. Descamps-André de Halleux (éd.), Mélanges Bibliques (En honeur B. Rigaux). 1970, 187–205.

Lk 1, 5 – 2, 52 sind zwei Kapitel intensiver jüdischer Vorstellungswelt und Geistigkeit. Die Erzählung spielt zunächst großenteils im Hause des Priesters Zacharias im Gebirge Juda. Maria in Nazareth ist eine fromme jüdische Frau, Josef, ihr Verlobter, gehört der Familie Davids an (1, 27). Simeon und Anna im Tempel sind Gerechte, die Israels Heil erwarten (2, 25. 36). Engel treten auf wie in späteren Schriften des Alten Testamentes als die „Boten Jawes". Drei Lieder (1, 46–55. 67–79; 2, 28–32) sind nach Art alttestamentlicher Dichtung gebildet. Die Sprache ist eindrücklich die der LXX. Das alles bedeutet, daß Lk eine judenchristliche Quelle weithin unverändert übernommen hat. Im Evangelium selbst ist das judenchristliche Erbe wertvoll. Wie Mt, doch auch unabhängig von ihm, fügt Lk 3, 23–38 einen Stammbaum Jesu ein.

Ein bedeutsamer Text ist Lk 4, 16–30: Die Verwerfung Jesu in Nazareth. Mk 1, 14 folgend, berichtet Lk 4, 14 f. 31, daß Jesus nach seiner Taufe im Jordan durch Johannes nach Galiläa zurückkehrte, wo er in den Synagogen lehrte, „von allen gepriesen". Lk 4, 16–30 fügt dazwischen den Bericht über die Predigt Jesu in der Synagoge seiner Vaterstadt Nazareth, die mit völligem Zerwürfnis endet. Jesus wird verstoßen, und sie wollen ihn vom Berg stürzen (Lk 4, 28–30). Lk 4, 17–21 liest Jesus in der Synagoge den Text Jes 61, 1 f. über den Gottesknecht und erklärt, daß diese Schrift heute in Erfüllung gegangen ist. Jesus ist der Gottesknecht; er ist der Messias. Alle nehmen „das Wort der Gnade" an. Dann bricht jedoch der Gegensatz auf. Sie nehmen Anstoß an der Herkunft Jesu (wie Mk 6, 3 f.). Jesus selbst legt den Gegnern das Sprichwort in den Mund: „Arzt, heile dich selbst." Jesus unterstellt seinen Gegnern, daß sie Taten verlangen, wie er sie in Kafarnaum getan hat. Vom Wirken Jesu in Kafarnaum berichtet Lk freilich erst 4, 31; 5, 17–26; 7, 1–10. Lk 4, 12–37 berichtet als Teil der Predigt in der Synagoge zu Nazareth als Wort Jesu den Bezug auf die alttestamentlichen Erzählungen, wonach Elias in der großen Hungersnot zu ihrer Milderung nicht zu den Juden gesandt wurde, sondern zur Witwe in Sarepta in Sidon (1 Kön 17, 8–16). Und Elischa sollte nicht einen Kranken aus Israel heilen, sondern Naaman, den Syrer (2 Kön 5, 1–14). Lk selbst berichtet weiter 5, 15. 24; 6, 17–19; 7, 11–16; 8, 40–56, daß Jesus in der Volksmenge lehrte und wunderbar heilte. Die Perikope Lk 4, 16–30 richtet von Anfang an den Weg des Evangeliums von Israel zu den Heiden hin, wie dies nachher die Apostelgeschichte vollzieht. Indem Lk diese Perikope allen anderen Berichten voranstellt, ist die Entscheidung immer schon gefallen. Die Abfolge der Ereignisse ist hier wie in der Apostelgeschichte die gleiche. Die Predigt wendet sich zunächst in der Synagoge an die Juden, um sich dann, von diesen abgewiesen, an die Heiden zu richten (Apg 7 u. 8; 13, 46 f.; 18, 6–8; 19, 8–10; 28, 28). Es wird kaum zu entschei-

den sein, ob oder wieweit Lk 4, 16–30 besondere Quellen der Überlieferung benutzen konnte oder wieweit das Evangelium redaktionell komponiert ist. Wie immer bei alttestamentlichen Zitaten im
Munde Jesu wird auch hier zu fragen sein, ob etwa die Schrifttheologie der Kirche zu Wort kommt. Dies wird zumal anzunehmen
sein, da das Jesaja-Zitat in Lk 4, 18 f. sich als Zusammenfügung von
Jes 61, 1 f. und 58, 6 erweist. Ist vielleicht Lk 4, 25–27 selbständiger
Spruch zum Thema Juden und Heiden?

Lk 9, 51–19, 2 läuft der „Reisebericht" ab. Das Ziel ist Jerusalem.
„Da sich die Tage seiner Aufnahme (in den Himmel) erfüllten, richtete er sein Angesicht nach Jerusalem, dorthin zu reisen" (9, 51). In
Jerusalem muß sich Leben und Werk Jesu in Erhöhung am Kreuz
und in den Himmel vollenden (Lk 24, 25–27). Lk 24, 13–35 berichtet nur von Erscheinungen des Auferstandenen in Jerusalem. Alle
Schrift muß so erfüllt werden (Lk 24, 44–48). Von Jerusalem geht
die Mission aus (Apg 1, 8). Jerusalem ist die Mitte des Heiles. Es
bleibt und es erfüllt sich die Erwählung Israels.

4. Apostelgeschichte

Dibelius, M.: Aufsätze zur Apostelgeschichte, hrsg. v. H. Greeven
(FRLANT 60). 2. Aufl. 1953. *Jervell, J.:* Das gespaltene Israel und die
Heidenvölker. Zur Motivierung der Heidenmission in der Apostelge-
schichte, in: StTh 19, 1965, 68–96. *Kremer, J. (ed.):* Les Actes des Apôtres.
Traditions, rédaction, théologie (BiblEphTheolLov 118). 1979. *Plümma-
cher, E.:* Lukas als hellenistischer Schriftsteller. Studien zur Apostelge-
schichte (StUNT 59). 1972. *Richardson, P.:* Israel in the Apostolic Church
(SNTS, Monogr. Ser. 10). 1969. *Wich, J. R.:* Jüdische Schuld am Tode
Jesu. Antijudaismus in der Apostelgeschichte? in: W. Haubeck, M. Bachmann (Hrsg.), Wort in der Zeit. Neutestamentliche Studien (FS K. H.
Rengstorf). 1980, 236–249. *Wilckens, U.:* Die Missionsreden der Apostelgeschichte. Form- und traditionsgeschichtliche Untersuchungen
(WMANT 5). 3. Aufl. 1974.

Die Apostelgeschichte ist eine für die Entwicklung des Verhältnisses von Israel und Kirche wichtige Quelle. Zuerst wiederholt
sich, was die Evangelien von der Predigt Jesu in Galiläa berichten.
Israel ist der erste Empfänger des Evangeliums (Apg 2, 14; 3, 12;
9, 20; 13, 5. 14. 46). Die Predigt der Apostel wird im Glauben
gehört und angenommen. Die Juden strömen dazu in Scharen
zusammen. Sie sind erschüttert über das, was sie sehen und
hören (Apg 2, 6. 12. 37). Eine ansehnliche, geachtete christliche

Gemeinde bildet sich (Apg 2, 41. 47; 4, 4. 32–37; 5, 12–16; 6, 1; auch 1 Kor 15, 6). Apostel und Gemeinde sind der Zuversicht, daß ganz Israel zum Glauben an den Messias Jesus gelangt. Die Predigt der Apostel[3] zeigt die Erfüllung des Alten Testamentes auf. Die Prophetie hat sich erfüllt in der Geistausgießung an Pfingsten (Apg 2, 14–41). Auch der Tod Jesu geschah nach Gottes Ratschluß und Willen (Apg 2, 23. 36; 3, 13).

Die Christen feiern in ihren Hausgemeinschaften das Brotbrechen, kommen aber auch einmütig im Tempel zusammen (Apg 2, 42–46). Die Apostel lehren dort (Apg 3, 1; 5, 12. 20 f. 42 f.). Das bedeutet, daß der Tempel jetzt der christlichen Gemeinde und dem Evangelium gehört. Die Kirche ist Erbin der Synagoge.

Doch auch Gegensätze stellten sich dar. Als Gegner sind von Anfang an genannt Hohepriester, Priester, Sadduzäer, Schriftgelehrte, vereinigt im Synedrium. Nach einem Heilungswunder predigt Petrus in der Halle Salomos: „Ihr habt Jesus ausgeliefert und vor Pilatus verleugnet, als dieser ihn freigeben wollte ... Ihr habt den Fürsten des Lebens getötet" (Apg 3, 11–26). Tempelhauptmann und andere Führer bringen die Apostel Petrus und Johannes ins Gefängnis. Darnach müssen sie sich vor dem Hohen Rat verantworten, der ihnen weitere Predigt verbietet (Apg 4, 1–22). Da die christliche Gemeinde wuchs, wurden die Apostel erneut ins Gefängnis gebracht, zunächst freilich wunderbar befreit.[4] Petrus rechtfertigt die Predigt der Apostel: „Man muß Gott mehr gehorchen als den Menschen." Der Pharisäer Gamaliel erinnert den Rat an zwei messianische Bewegungen, die damals eben gescheitert waren. So riet

---

[3] Es bleibt die Frage, ob und wieweit Lukas für die Reden in der Apostelgeschichte Unterlagen benützen konnte oder die Reden selber fertigte; sodann, wieweit sie historisch sind oder sein wollen oder nach der Weise antiker Rhetorik die Anschauung des Verfassers zum Ausdruck bringen.

[4] Die Apostelgeschichte (5, 19; 12, 7–9; 16, 26) berichtet von drei Tür- und Befreiungswundern. Solche sind Motive hellenistischer Religiosität. Sie schildern den offenbaren Schutz Gottes für seine Frommen. In der Apostelgeschichte bedeuten sie, daß Gott selbst sich für die Verkündigung des Evangeliums einsetzt und seine Boten gegen die Feinde schützt (vgl. J. Jeremias, Die Türwunder im Neuen Testament, in ThWNT 3, 175 f.; R. Kratz, Rettungswunder. Motiv-, traditions- und formkritische Aufarbeitung einer biblischen Gattung. 1979. O. Weinreich, Türöffnung im Wunder- und Zauberglauben der Antike, des Judentums und Christentums, in: Ders., Religionsgeschichtliche Studien. 1968, 200–290).

er, die christliche Gemeinde sich selbst zu überlassen. Der Rat verbot jedoch den Aposteln weitere Predigt. Sie aber lehrten weiterhin im Tempel wie in den Häusern (Apg 5, 17–40).

In Jerusalem gab es neben der Mehrheit der eingesessenen, gesetzestreuen Hebräer eine Synagoge der Juden aus der griechischen Diaspora, der „Hellenisten", die griechisch sprachen und zufolge der einstigen Entfernung von Jerusalem zu Tempel und Gesetz in einem freieren Verhältnis standen. Ein solcher Diaspora-Jude, Stephanus, nahm den christlichen Glauben an und wirkte in ihm „voll Geist und Kraft". Er versuchte unter den hellenistischen Juden christliche Mission. Die hellenistische Synagoge zeigte Stephanus bei den anderen Juden an, und sie brachten ihn vor das Synedrium. Stephanus wurde angeklagt der Reden gegen Gott, Tempel und Gesetz. Er lehre, Jesus von Nazareth werde endlich Tempel und Gesetz zerstören (Apg 6, 1–15). Erscheint bereits die Katastrophe des Judentums nach 70 im Blick? Die Apostelgeschichte (7, 2–23) gibt die Rede des Stephanus vor dem Hohen Rat wieder, die heftige Vorwürfe gegen Israel von den Vätern an erhebt. Die Rede stellt christliche Auslegung des Alten Testamentes dar und wurde wohl als solche in die Apostelgeschichte eingefügt. Stephanus wurde außerhalb der Stadt als Gotteslästerer gesteinigt (nach Lev 24, 13–16). Danach entstanden weitere Verfolgungen gegen die Gemeinde in Jerusalem. Sie wurde aus der Stadt verbannt. Die Apostel freilich durften bleiben (Apg 8, 14; 9, 27), mit ihnen vielleicht auch Judenchristen aus den „Hebräern". Die Vertreibung betraf wohl besonders die hellenistischen Judenchristen. Die Versprengten bildeten auswärts neue Gemeinden. So gelangte das Evangelium in die Stadt Samaria, die als heidnisch galt (Apg 8, 4–25). In Antiochien entstand wohl die erste heidenchristliche Gemeinde (11, 19–26).

Am Verfahren gegen Stephanus war auch Saulus-Paulus beteiligt. Er jedoch wurde auf den Wegen der Verfolgung bekehrt und selbst zum Missionar der Heiden berufen und bestellt (Apg 8, 1–3; 9, 1–12, s. II. 7.). Er predigte sogleich geistesmächtig in der Synagoge zu Damaskus, indem er den Juden bewies, daß Jesus der Messias ist. Sie beschlossen darauf, ihn zu töten. Doch Saulus entkam dem Anschlag (Apg 9, 20–25).

Apg 9, 31 kann zusammenfassen: „Die Kirche hatte nun Frieden in ganz Judäa, Galiläa und Samaria. Sie baute sich auf, wandelte in der Furcht des Herrn und nahm zu unter dem Beistand des Heiligen Geistes." Die Apostelgeschichte berichtet, wie Petrus als Missionar der Kirche wirkte. Auf die Wunder hin, die er tat, bekehrten sich viele zum Glauben (Apg 9, 32–42). In Caesarea nahm Petrus den Heiden Cornelius in die Kirche auf. Der Geist kam herab auf Juden und Heiden (Apg 10, 1–44). Petrus erklärte dies vor den Judenchristen in Jerusalem (Apg 11, 1–19). Es bildeten sich heidenchristliche Gemeinden in Kleinasien und auf Zypern. In Jerusalem aber ließ der König Herodes Agrippa I. Jakobus den Älteren mit dem Schwert hinrichten. „Es gefiel den Juden." Darauf ließ er auch Petrus ins Gefängnis werfen, der jedoch wieder wunderbar befreit wurde (Apg 12, 1–17). Ebenso berichtet Apg 14, 17, daß viele Juden zum Glauben kamen, und Apg 21, 20, daß es „viele Tausende von Gläubigen unter den Juden" waren.

Eine nicht leichte Frage war die nach der Verpflichtung des Gesetzes (IV. 5. 1.). Es war – nach der Überzeugung des Alten Testamentes – Gottes Satzung. Durfte der Mensch sich davon befreien? Juden (Apg 18, 13; 19, 8) wie vielleicht auch Judenchristen schien dies nicht erlaubt. Die ersten Heidenchristen waren wohl keineswegs so gesetzesfrei wie später die paulinischen Gemeinden. Judenchristen aus Galiläa verlangten von den Heidenchristen in Antiochien, sie müßten sich beschneiden lassen (Gal 3–6). Eine von der Kirche Antiochiens veranlaßte Synode der Apostel und Ältesten in Jerusalem, an der Paulus und Barnabas als Abgeordnete Antiochiens teilnahmen, anerkannte grundsätzlich die Freiheit der heidenchristlichen Kirche vom alttestamentlichen Gesetz. Sie forderte jedoch wohl Einhaltung von Speisevorschriften neben dem wesentlich sittlichen Gebot der Enthaltung vom Götzendienst und von Unzucht (Apg 15, 1–33). (Die handschriftliche Überlieferung der Beschlüsse ist nicht eindeutig. Ursprünglich kultische Vorschriften wurden wohl in allgemein sittliche umgedeutet.) Paulus erwähnt diese Vorschriften der Synode nie. Es ist eine verschieden beantwortete Frage, ob er diese Vorschriften nicht erwähnt, weil sie ihm unwesentlich schienen und bald überholt waren, oder aber, ob jene Beschlüsse vielleicht gar nicht auf der Synode in Jerusalem, sondern bei einem anderen Anlaß vereinbart und in der Apostelgeschichte als Jerusalemer Satzung verzeichnet wurden. In der Apostelgeschichte wird dagegen nicht erwähnt, daß auf der Synode eine Kollekte „für die Armen und Heiligen in Jerusalem" beschlossen wurde (Gal 2, 10). Paulus bemühte sich sehr darum, mit seinen Gemeinden dieser Verpflichtung nachzukommen (Röm 15, 25–31; 1 Kor 16, 1–4; 2 Kor 8 u. 9; Apg 24, 17).

Die frommen Judenchristen befolgten wohl das Gesetz weiterhin (Apg 21, 21; Gal 2, 11–3, 29). Als „Judaisten" verlangten sie dies auch von den Heidenchristen. Paulus verteidigte und übte auf seinen Missionsreisen die Gesetzesfreiheit der Heidenchristen mit Lehren und Taten (Gal 2, 11–21). Die Apostelgeschichte berichtet – vielleicht schematisch –, daß Paulus in allen Städten der griechisch-römischen Welt seine Predigt immer in der Synagoge begann, um dann, regelmäßig von den Juden abgelehnt, in heidenchristlichen Hausgemeinschaften der Mission weiter nachzukommen (Apg 9, 20–22; 13, 45.50; 14, 19; 17, 5–9.13; 18, 12 f.; 19, 8 f.). Dies entsprach dem Grundsatz des Paulus, daß Israel als erstberufenes Volk den Heiden zuvorkommen sollte (Röm 1, 16; 2, 9 f.).

Als Missionar lebte Paulus – etwa 45 bis 55 – in den großen Städten der griechischen Welt: Antiochien am Orontes, Ephesus, Thessaloniki, Athen, Korinth. Wiederholt kehrte er kurz nach Jerusalem zurück. Mit schweren Befürchtungen und Ahnungen machte er dorthin 55/56 eine letzte Reise (Apg 20, 23; 21, 10–17; Röm 15, 30).

In Jerusalem begab sich Paulus sogleich zu Jakobus dem Jüngeren, Bischof der Gemeinde, und den Ältesten. Sie anerkannten die Mission des Paulus, berichteten jedoch auch, von vielen Tausenden von Juden gehört zu haben, die das Gesetz beobachteten und denen gesagt wurde, Paulus predige den in der Heidenwelt lebenden Juden den Abfall von Mose und dem Gesetz. Als Paulus den Tempel besuchte, wiederholten aufgehetzte Scharen jene Vorwürfe und behaupteten überdies, Paulus habe einen Heidenchristen in den Tempel geführt. Das Betreten des inneren Vorhofes des Tempels war Nichtjuden unter Todesstrafe verboten. (Eine dort angebrachte Verbotstafel hat sich erhalten; sie befindet sich heute im Museum in Istanbul.) Das Volk ergriff Paulus und zerrte ihn aus dem Tempel heraus (Apg 21, 18–30). Der Tribun der römischen Kohorte rettete Paulus davor, erschlagen zu werden (Apg 21, 31–36). Paulus durfte vor den erregten Massen sprechen. Er erklärte ihnen, er sei Jude, als der er zuerst die Christen verfolgte, dann aber vor Damaskus durch die Erscheinung des erhöhten Christus bekehrt und zum Apostel der Völker bestellt wurde. Eine Erscheinung des Christus im Tempel in Jerusalem bestärkte ihn darin. Als die Menge schrie, Paulus müsse sterben, schützte ihn wiederum der Tribun, der ihn jedoch für das Verhör foltern lassen wollte. Die Berufung auf sein römisches Bürgerrecht bewahrte Paulus vor der Auspeitschung (Apg 21, 32–22, 29). Um Klarheit zu erhalten, brachte der Tribun Paulus vor das Synedrium. Die Versammlung endete mit einem Streit zwischen den Sadduzäern und den Pharisäern über die Auferstehung der Toten (Apg 22, 30–23, 10). Als der Tribun erfuhr, daß Gegner des Paulus diesen umbringen wollten, ließ er den gefangenen Apostel nach Caesarea vor den Statthalter Felix bringen (Apg 23, 12–35). Dort fand eine Gerichtsversammlung vor dem Hohenpriester und einigen Ältesten statt. Dabei hielt der Anwalt Tertullus eine Anklagerede, die behauptete, Paulus sei „eine Pest, Unruhestifter im ganzen Weltjudentum und Anführer der Partei der Nazoräer". Es ist nicht ersichtlich, ob Tertullus Jude oder Heide war. Jedenfalls ist hier ein schwerwiegendes Urteil über das Verhältnis des Paulus zum Judentum ausgesprochen. Die Anklage nimmt Bezug auf die weltweite Mission des Paulus. Paulus antwortete, indem er die Anklage als unwahr bestritt, sodann: „Das allerdings gestehe ich dir gerne, daß ich der Lehre entsprechend, die die Juden eine Sekte nennen, dem Gott unserer Väter diene." Der Statthalter beschloß darauf, den Prozeß zu vertagen. Paulus sollte weiterhin in milder Gefangenschaft bleiben, wie er denn zwei Jahre in Caesarea verbrachte (Apg 24, 1–27). Als der Nachfolger im Amt des Statthalters, Festus, sich bald nach Amtsantritt in Jerusalem aufhielt, erstatteten der Hohepriester und die Führer der Juden wiederum Anzeige gegen Paulus. Bei einer neuen Gerichtsverhandlung brachten die Juden neue, schwere Anklagen gegen Paulus vor, der erklärte: „Ich habe mich weder gegen das jüdische Gesetz, noch gegen den Tempel, noch gegen den Kaiser in irgendeiner Weise vergangen." Als Festus den Prozeß nach Jerusalem zurückbringen wollte, legte Paulus als römischer Bürger Berufung an den Kaiser ein. Dem gab Festus statt. Festus stellte den Paulus noch dem König Agrippa und seiner Gemahlin Berenike vor. Paulus erklärte dabei, er sei von Jugend an strenger Pharisäer gewesen; jetzt stehe er vor Gericht wegen der Hoffnung Israels. Agrippa erklärte endlich, daß Paulus nichts tue, was den Tod verdiente. Er hätte längst auf freien Fuß gesetzt werden können, wenn er nicht an den Kaiser Berufung eingelegt hätte (Apg 25, 1–26, 33).

Nach langer, gefahrvoller Überfahrt gelangte Paulus nach Rom. Hier war er für zwei Jahre weiterhin Gefangener. Paulus kam zweimal in seinem Quartier mit örtlichen Häuptern der Juden und einem größeren Kreis zusammen. Der Apostel beteuerte, daß die römischen Gerichte ihn freilassen wollten, da aber die Juden Einspruch erhoben, habe er Berufung an den Kaiser eingelegt, keineswegs jedoch, weil er sein Volk anklagen wollte. Um der Hoffnung Israels willen liege er in Ketten. Einen ganzen Tag lang legte Paulus den Juden die Lehre über die Gottesherrschaft und Jesus nach dem

Gesetz und den Propheten dar. Ein Teil der Zuhörer ließ sich überzeugen. Paulus klagt endlich die jüdische Verstockung an mit Jes 6, 9 f.: „Ihre Herzen sind verschlossen, ihre Augen sehen nicht und ihre Ohren hören nicht." Das Heilswort Gottes wurde deshalb zu den Völkern gesandt (Ps 67, 3; Apg 28, 17–31). Sie werden es hören (Apg 28, 28).

Dieser Schluß der Apostelgeschichte ist mit Bedacht gestaltet. Nicht spricht sie davon, wie es Sehnsucht und Ziel des Paulus gewesen, nach Rom, der Hauptstadt der Welt, zu kommen, um hier seinen Auftrag der Verkündigung an die Völker zu erfüllen (Apg 19, 21; 23, 11; Röm 15, 25), sondern sie spricht zuletzt zu Israel, dem die Hingabe des Paulus und die Hoffnung der Kirche gehört. Der Text Jes 6, 9 f. (Apg 28, 25–27) erscheint als Anklage und Verurteilung auch Mt 13, 13–15; Mk 4, 11 f.; Röm 11, 8. Er war also ein geläufiger Text der urchristlichen Schrifttheologie.

Die Apostelgeschichte im ganzen und ihr Schluß bekunden, daß die christliche Gemeinde zunächst der Hoffnung war, ganz Israel werde Jesus als Messias anerkennen und die neue, christliche Gemeinde bilden. Diese Hoffnung blieb nicht ohne alle Erfüllung. Doch im ganzen ist das Ende Scheidung und Gegnerschaft zwischen Israel und Kirche. Die Juden verstehen nicht, verleugnen und verlieren Gesetz und Propheten. Diese werden Eigentum, Grund und Gestalt der christlichen Kirche.

5. Evangelium nach Johannes

Gräßer, E.: Die antijüdische Polemik im Johannes-Evangelium, NTSt 11, 1964/65, 74–90. *Hahn, F.:* „Das Heil kommt von den Juden." Erwägungen zu Joh 4, 22bc, in: B. Benzing (Hrsg.), Wort und Wirklichkeit (FS E. L. Rapp), Bd. 1. 1976, 67–84. *Ders.:* „Die Juden" im Johannesevangelium, in: P. G. Müller, W. Stenger (Hrsg.), Kontinuität und Einheit (FS F. Mußner). 1981, 430–438. *Jocz, J.:* Die Juden im Johannesevangelium, in: Judaica 9, 1953, 147–154. *Leisner, R.:* Antijudaismus im Johannesevangelium? Darstellung des Problems in der neueren Auslegungsgeschichte und Untersuchung der Leidensgeschichte. 1974. *Leroy, H.:* Rätsel und Mißverständnis. Ein Beitrag zur Formgeschichte des Johannesevangeliums (BBB 30). 1976. *Martyn, T. L.:* History and Theology in the Fourth Gospel. 3. Aufl. 1979. *Rengstorf, K. H.:* Johannes und sein Evangelium (WdF 82). 1973. *Schelkle, K. H.:* Jerusalem und Rom im Neuen Testament, in: Ders., Wort und Schrift. Beiträge zur Auslegungsgeschichte des Neuen Testaments. 1966, 126–144. *Schran, T. L.:* The Use of Joudaios in the Fourth Gospel. Diss. Utrecht. 1974. *Thyen, H.:* „Das Heil kommt von den Juden", in: D. Lührmann–G. Strecker (Hrsg.), Kirche (FS G. Bornkamm) 1980, 163–184. *Whitacre, R.:* Johannine Polemic. The Role of Tradition and Theology. 1982.

Das Evangelium nach Johannes enthält sehr gegensätzliche Aussagen über „Israel" und die „Juden".

Joh 4, 7–26 entwickelt sich ein langes Gespräch zwischen Jesus und einer Frau aus Samaria. Das dortige Volk galt wegen seiner Vermischung mit den heidnischen Eroberern den Juden rassisch und religiös als heillos. Im Namen Israels sagt Jesus (Joh 4, 22): „Ihr betet an, was ihr nicht kennet. Wir beten an, was wir kennen; denn das Heil kommt aus den Juden." [5] Die Juden kennen und üben die wahre Anbetung Gottes. Die Geschichte Israels ist die Offenbarung des Heiles Gottes in der Welt und für sie. Die Juden des Johannes-Evangeliums haben diese ihre Berufung nicht vergessen. Die großen Wunder Jesu werden von den Juden angenommen (Joh 2, 11. 23; 5, 9; 6, 14 f.; 9, 7; 11, 44 f.). Aus Israel kommen gläubige Jünger. „Viele Juden glaubten an Jesus" (Joh 2, 23; 3, 2; 7, 40 f.; 8, 31; 10, 19. 21; 11, 31–45; 12, 9–11). Auch Samariter kamen zum Glauben (Joh 4, 39–41). Zu der einen Herde, die die Kirche ist, gehören Juden wie Heiden (Joh 10, 16). „Jesus sollte für das Volk sterben, und nicht für das Volk allein, sondern damit er auch die zerstreuten Kinder in Eins zusammenbrächte" (Joh 11, 51 f.). Juden wie Völker erfahren die gleiche Berufung und Begnadung.

„Israel" ist und bleibt im Johannes-Evangelium ein ehrenvoller Name. Johannes der Täufer will Jesus „Israel" als den Messias bekannt machen (Joh 1, 31). Jesus redet Nathanael an: „Siehe, wahrhaft ein Israelit, an dem kein Falsch ist" (Joh 1, 47). Wahrhaftigkeit zeichnet das Wesen des Israeliten aus. Das Wort ist wohl formuliert nach Ps 32, 2: „In seinem Herzen ist kein Falsch." Nathanael begrüßt Jesus als „Sohn Gottes", als „König von Israel" (Joh 1, 49 f.). Nathanael ist wahrer Israelit, da er nach Gesetz und Propheten die Würde Jesu erkennt und anerkennt. Ehrenvoll ist der Titel des Nikodemus als eines „Lehrers Israels" (Joh 3, 10). Beim Einzug in Jerusalem wird Jesus von den Scharen aufgenommen als „König Israels" (Joh 12, 13).

Im Johannes-Evangelium stehen aber auch schwerwiegende

---

[5] Es geht schwerlich an, Joh 4, 22 als angebliche spätere, israelfreundliche redaktionelle Zufügung aus dem ursprünglichen Text auszuscheiden; so mit besonderem Gewicht R. Bultmann: Das Evangelium des Johannes, 20. Aufl. 1978, 139. Dagegen E. Gräßer und H. Thyen, s. Literatur.

andere Aussagen über „die Juden". Die Volksgenossen Jesu können
im neutralen Gebrauch des Wortes als „Juden" bezeichnet werden
(Joh 11,19; 18, 20); so besonders im Munde von Nichtjuden (Joh
4, 9; 18, 33; 19, 3). In den meisten Fällen sind die „Juden" irgendwie
enger bezogen auf Jerusalem, Tempel, Kult, Gesetz. Dadurch wird
ihr Gegensatz zu Jesus und seinen Jüngern bedingt. Die Sprache ist
aber merkwürdig verfremdet, wenn neben Jesus und den Jüngern,
die doch selber Juden sind, die anderen als „Juden" bezeichnet werden. So ist die Rede von „Gebräuchen der Juden" (Joh 2, 6; 19, 40),
vom Passa, „dem Fest der Juden" (Joh 2, 13; 5, 1; 6, 4; 11, 55), dem
„Laubhüttenfest der Juden" (Joh 7, 2), dem „Rüsttag der Juden"
(Joh 19, 42) oder vom Gesetz als „eurem Gesetz" (Joh 18, 31). „Aus
Furcht vor den Juden" wagten sich viele nicht zu Jesus zu bekennen
(Joh 7, 13; 20, 19). So scheint Israel ein anderes Volk neben Jesus
und den Jüngern zu sein.

Oft aber sind die „Juden" die ungläubigen Gegner Jesu. Als
solche sind sie von Anfang an ungläubig, ja feindselig (Joh 1,19;
2, 18. 20), entschlossen, Jesus zu töten (Joh 5, 16. 18; 7, 1;
10, 31–33). Es ist sicherlich geschichtlich genauer, wenn die älteren
Evangelien berichten, daß die Scheidung zwischen Jüngern und
Gegnern Jesu erst allmählich sichtbar wurde. In den Auseinandersetzungen mit Jesus treten die „Juden" wie im Chor auf
(Joh 5, 10–18; 8, 48–57; 10, 24–31). Auch im Prozeß Jesu sind „die
Juden" dieser Weise eine Gesamtheit (Joh 18–20). Allenfalls treten
unter den Gegnern Jesu hervor „die Hohenpriester und die Pharisäer" (Joh 7, 32. 45; 11, 47. 57; 18, 3) oder „die Herrschenden und die
Pharisäer" (Joh 7, 48), auch die Hohenpriester allein (Joh 18, 24;
19, 6. 21) oder ebenso die Pharisäer allein (Joh 1, 24; 4, 1; 7, 47;
8, 13; 9, 13; 12, 10, 42). Die Pharisäer vertreten das Synedrium, oder
sie sind die Wortführer in Streitgesprächen. Die Pharisäer vor allem
sind also die typischen Gegner Jesu, was sie nicht von Anfang an in
dieser Weise waren (III. 2.).

Gespräch und Streit mit den Juden bewegen sich im Johannes-Evangelium nicht um die nahe Gottesherrschaft oder die sich
danach ergebende Jüngernachfolge – wie in den älteren Evangelien.
Mit diesen ist allenfalls vergleichbar die Auseinandersetzung um
Sabbat (Joh 5, 9–18; 7, 22f.; 9, 14–16) und weiteres Gesetz
(Joh 4, 23f.; 8, 17f.; 9, 28f.; 10, 34–36; 12, 34; 15, 25). Sehr heftig
ist der Tadel des anstößigen Verhaltens Jesu (Joh 4, 27; 5, 14–18;
6, 52f.; 8, 21f. 56–58; 9, 35–41; 11, 4. 41–44). Der Streit ist hauptsächlich eine dogmatische Auseinandersetzung um die Person

Christi. Er ist der Sohn, der in der Einheit mit dem Vater war und ist; die Juden lehnen diesen Anspruch unbedingt ab (Joh 8, 48–52; 10, 20 f.); er ist für sie Gotteslästerung (Joh 10, 31–33). Die fortgeschrittene Christologie der Kirche wird offenkundig. Der Streit geht dabei oft um das richtige Verständnis der alttestamentlichen Schrift (Joh 6, 31; 7, 42. 51; 10, 34–36). Die Schriften zeugen weithin von Jesus als dem Sohn (Joh 5, 37). Abraham sah den Tag des Christus und freute sich (Joh 8, 56 nach Gen 17, 17). Mose hat von Christus geschrieben. Wenn die Juden Mose glaubten, würden sie Christus glauben (Joh 5, 45 f.). Die Juden verstehen weder ihre Schrift noch ihre Väter. Sie mißverstehen die Schrift so gänzlich, daß sie endlich fordern, Jesus müsse nach dem Gesetz sterben (Joh 19, 7). Dieser Befund ist Niederschlag der dogmatischen Diskussion zwischen Juden und Christen um das rechte Schriftverständnis.

Der Streit zwischen den Juden und Jesus verläuft immerzu in Mißverständnissen (Joh 2, 20; 3, 3 f.; 4, 10–15. 32 f.; 6, 33 f.; 7, 34 f.; 8. 21. 32 f.; 14, 4 f. 7 f.; 16, 16–18). Dies ist literarisch-theologische Darstellungsweise. Die ungläubige Welt versteht das Wort Gottes nicht, und sie nimmt den Sohn, der Gottes Offenbarung und Wahrheit ist, nicht an.

Eine heftige, wesenhafte Auseinandersetzung mit den Juden ist das Streitgespräch Joh 8, 30–59. Es findet im Tempel am Laubhüttenfest statt. Ort und Zeit sind symbolträchtig für die entscheidende Wichtigkeit. Jesus spricht von der Freiheit durch die Wahrheit (Joh 8, 31 f.). Die Juden behaupten, als Abrahams Söhne frei und niemandes Knecht (Joh 8, 33), ja Gottes Kinder zu sein (Joh 8, 41). Jesus erwidert, daß sie als Abrahams wahre Söhne an Gottes Wort und den Messias glauben müßten. In Wahrheit ist nicht Abraham ihr Vater, sondern der Teufel (Joh 8, 44). Ihr Wesen ist teuflischer Art und geistige Zugehörigkeit zum Teufel. Wie der Teufel der Vater der Juden, so ist er der Fürst der Welt (Joh 14, 30). Sie erkennt den Vater nicht und nicht den Sohn (Joh 17, 25). Sie haßt den Christus, wie sie seine Jünger haßt (Joh 15, 18 f.). So sind die „Juden" des Johannes-Evangeliums nicht mehr das einst erwählte Volk, sondern sie stellen die böse und ungläubige Welt dar. „Ihr seid von unten, ich bin von oben. Ihr seid aus dieser Welt, ich bin nicht aus dieser Welt" (Joh 8, 23). Unglaube und Welt bleiben immer neu verwirklichte Möglichkeiten.

Es mag bedacht werden, daß viele Aussagen über die Jesus-feindlichen Juden nicht das ganze anonyme Volk, sondern offenbar vielmehr nur die Führer, Synedristen und Pharisäer meinen. Joh 1, 19 senden „die Juden aus Jerusalem" Priester und Leviten, damit sie den Täufer Johannes befragen. Dies bedeutet eine überlegte Beauftragung durch einzelne Maßgebliche, nicht die Juden allesamt. Joh 2, 18. 20 sind „die Juden" die Ordnungsbeamten im Tempel. Der geheilte Blindgeborene wird Joh 9, 13 den Pharisäern vorgeführt, die als die Gesetzeskundigen die Untersuchung führen. Joh 9, 22 werden sie als „die Juden" bezeichnet. Auch die Juden, die Jesus am Fest der Tempelweihe in der Halle Salomos entgegentreten (Joh 10, 22–39), mögen Tempelbeamte sein. Die „Diener der Juden", die Jesus im Ölberggarten verhaften, sind „Abgesandte der Hohenpriester und Pharisäer" (Joh 18, 3–12). Wenn weiterhin in der Passionsgeschichte (Joh 18, 28–19, 16) immer wieder die „Juden" gegen Jesus auftreten, so sind ebenso die Hohenpriester (Joh 18, 35; 19, 15. 21) als die Handelnden genannt. „Juden" bedeuten also im Johannes-Evangelium oft nur die verantwortlichen Führer des Volkes.

Die Darstellung des Verhältnisses von Juden und Christen im Johannes-Evangelium gibt die Situation in der Zeit der Abfassung des Evangeliums (um 100) wieder. Synagoge und Kirche sind zwei getrennte, ja gegensätzliche Gemeinschaften. Nach der Katastrophe des Jahres 70 hat sich Israel nicht zum wenigsten um Pharisäer und Schriftgelehrte neu gesammelt. Sie sind auch die Führer der Juden im Johannes-Evangelium (IV. 1. 4. 1.).

Es darf nicht vergessen werden – was vielleicht doch zu sehr geschah und geschieht –, daß im Johannes-Evangelium auch ehrenwerte Aussagen über Israel stehen. Die Texte über die Juden können aber doch auch mißverstanden werden und haben – so verstanden – in der Geschichte der Kirche schwerwiegende Folgen für das Verhältnis von Juden und Christen gehabt.

6. Apokalypse des Johannes

Böcher, O.: Die Johannesapokalypse (EdF 606). 1981. *Gollinger, H.:* Das „Große Zeichen" von Apokalypse 12 (SBM 11). 1971. *Koch, K. – Schmidt, J. M. (Hrsg.):* Apokalyptik (WdF 365). 1982. *Lambrecht, J. (éd.):* L'Apocalypse johannique et l'Apocalyptique dans le Nouveau Testament (BiblEphTheolLov 53). 1980. *Rissi, M.:* Das Judenproblem im Lichte der Johannes-Apokalypse, in: Theol. Zeitschr. 13, 1957, 241–249. *Rössler, D.:* Gesetz und Geschichte. Untersuchungen zur Theologie der jüdischen Apokalyptik und der pharisäischen Orthodoxie. 2. Aufl. 1962.

Kaum ein Buch des Neuen Testamentes ist wohl in Wort und Geist und der ganzen Gestalt so sehr vom Alten Testament und dem dann folgenden Frühjudentum bestimmt wie die Apokalypse des Johannes. Ihr Verfasser ist ein sonst unbekannter Johannes, der sicherlich aus judenchristlichen Kreisen, vielleicht aus Palästina, stammt und in der Kirche Kleinasiens mit prophetischer Vollmacht wirkte, um den Gemeinden in der Zeit der Verfolgung, wohl des Kaisers Domitian, gegen Ende des 1. Jahrhunderts Trost und Kraft zu vermitteln (Apk 1, 9). Als ganze ist diese Apokalypse geschaffen in der Überlieferung der Apokalyptik, die sich bemüht, aus dem Glauben der Vergangenheit Gegenwart und Zukunft zu bewältigen. Diese Apokalyptik beginnt in der alttestamentlichen Prophetie. Im jüngeren Alten Testament finden sich formulierte apokalyptische Abschnitte; so Jes 24–27, welcher Text in erheblich späterer Zeit in das Buch Jesaja eingefügt wurde. Das älteste apokalyptische Buch ist unter dem Namen des Daniel überliefert und abgefaßt 167 bis 164 v. Chr., in der Zeit der Bedrängnis Israels durch den Syrerkönig Antiochus IV. Es folgten zahlreiche weitere Apokalypsen, die nicht in den Kanon des Alten Testamentes aufgenommen wurden.

In dieser Überlieferung steht auch die Apokalypse des Johannes. Sie ist intensiv christlich, da sie ihre Mitte hat in der Botschaft von Geburt, Kreuz, Auferstehung und Wiederkunft des Messias Jesus.

Die Apokalypse des Johannes erhebt zunächst heftige Anklage gegen damaliges und dortiges Judentum, wenn sie es sowohl in Smyrna (Apk 2, 9) wie in Philadelphia (Apk 3, 9) als „Synagoge des Satan" bezeichnet, die sich den Ehrennamen „der Juden" lügnerisch anmaßt. In Smyrna „lästern" die Juden gegen die Christen und bedrängen sie (Apk 2, 9f.). Das „Martyrium des Polykarp" (12, 4f.; 13, 1; 17, 2) berichtet, wie die Juden eben in Smyrna sich heftig am Martyrium des Polykarp beteiligten. In Philadelphia aber wird der Herr Christus bewirken, daß die Juden „kommen und huldigen", und sie werden erkennen, „daß er der Gemeinde seine Liebe zugewandt hat" (Apk 3, 9).

Viel mehr als mit diesem schweren Tadel einzelner Synagogen spricht die Apokalypse von Israel mit Anerkennung und Achtung. Der Seher schaut die vollendeten Knechte Gottes als „144 000 Versiegelte" (Apk 7, 1–8). Die Zahl ergibt sich dadurch, daß die von den zwölf Söhnen Jakobs herstammenden zwölf Stämme Israels je 12 000 Heilige zählen. Die uralte heilige Zahl Zwölf erscheint also doppelt. Die 144 000 bedeuten aber nicht nur die Heiligen Israels, sondern die ganze erlöste Kirche aus allen Völkern (Apk 7, 9). Diese ist unter dem Bild Israel dargestellt, wie Jak 1,1; 1 Petr 1,1 die zwölf Stämme Israels als Kirche gezählt werden. Bedacht ist jedoch die Benennung der Stämme Apk 7, 5–8. Als erster ist nicht, wie es sonst gewöhnlich geschieht (Gen 35, 23), Ruben als ältester genannt, sondern Juda (1 Chr 2, 3), aus dem einst David und weiterhin der Messias als Davids Sohn hervorgehen sollte (Röm 1, 3; Mt 1, 5f.). Es fehlt der Name des Stammes Dan, der dem Götzendienst verfiel (Ri 17f.) und dessen Fürst nach jüdischer Anschauung der Satan war (TestDan 5, 6). Um die Zwölfzahl zu vollenden, sind dafür vom Stamme Ephraim die beiden Söhne Manasse und Josef genannt. Trotz aller Ehrung übt also die christliche Apokalyptik doch Kritik an Israel.

In einem späteren Gesicht (14, 1–5) sieht Johannes die 144000, die den Namen des Lammes Gottes und den seines Vaters tragen, versammelt um das Lamm auf dem Berg Sion. Sie werden gepriesen in einem Lied vom Himmel her und feiern mit. Sie sind Erstlingsgabe für Gott und das Lamm. Der Sion ist nach alter Überlieferung der Ort, wo der Messias erscheinen wird zur Rettung Jerusalems und seines Volkes und zum Gericht über die Feinde. Altes und neues Gottesvolk sind immer aufs neue als eines begriffen.

Der Tempel Jerusalems ist der Apokalypse des Johannes (11,1–14) bleibendes Symbol. Der Seher erhält den Auftrag, Tempel und Altar auszumessen, jedoch ohne den Vorhof der Heiden. Dies mag ein Motiv jüdischer Apokalyptik aus den Jahren des römisch-jüdischen Krieges 68–70 n. Chr. sein und ursprünglich die Erhaltung des Tempels in der erwarteten Zerstörung der Stadt bezeichnen. Der christlichen Prophetie bedeutet es den Schutz der Kirche in der allgemeinen Verwüstung. Tempel bedeutet christliche Kirche (wie 1 Kor 3, 16; 2 Kor 6, 16; Eph 2, 21; 1 Petr 2, 5).

In der Stadt Jerusalem aber werden zwei Zeugen auftreten (Apk 11, 3). Diese Zeugen sind wohl Mose und Elia, die in der Endzeit als Bußprediger wiederkehren sollten (Mal 3, 23f.; Dtn 18,15; Mk 9, 4). Sie werden getötet werden. Aber nach schrecklicher endzeitlicher Katastrophe werden die Überlebenden Gott die Ehre geben. Es ist also die Hoffnung ausgesprochen, daß der Rest Israels zum Glauben kommen wird (wie Röm 11,25f.). Wenn dann der Tempel Gottes im Himmel aufgetan und die Lade des Bundes sichtbar wird (Apk 11, 19), bedeutet auch dies die endliche Gnadengegenwart Gottes, mit der dieser in seinem Volke ist.

In einer anderen Vision (12, 1–6) schaut Johannes das göttliche

Zeichen am Himmel: Ein Weib, bekleidet mit Sonne und Mond, auf dem Haupte einen Kranz von zwölf Sternen tragend. Die zwölf Sterne bedeuten die zwölf Stämme Israels. Das Weib ist schwanger als Mutter des Messias. Aus Israel kommt der Messias, der für die Apokalypse Jesus Christus ist. Das Weib ist aber auch Mutter derer, „die die Gebote Gottes halten und das Zeugnis Jesu bewahren" (12, 17), also der Christen. Das Weib ist die Mutter des einen Gottesvolkes des Alten und Neuen Bundes. Das Weib und sein Kind werden vom Drachen verfolgt. Das Kind wird zu Gott entrückt. Das Weib kann in die Wüste fliehen, wo es die von Gott bereitete Stätte findet. In der Wüste hatte Israel einst die Treue und Fürsorge Gottes erfahren. Der Messias, der jetzt in den Himmel aufgenommen ist, wird von dorther wieder erscheinen. Die Geschichte des alttestamentlichen Gottesvolkes vollzieht sich weiter am neutestamentlichen Gottesvolk, der Kirche. Israel wie Kirche werden vom selben Drachen, dem Feind Gottes, verfolgt (12, 13–17). Dieser Drache ist der Feind Gottes, damals geschichtlich verstanden die politische Macht, die überall die göttliche Verehrung des Kaisers forderte und unter Juden wie Christen Martyrer schuf.

Die letzten Kapitel der Apokalypse (14, 14–15, 8) schildern den Vollzug des Gerichtes und die Erlösung. Auch dies, und dies zumal, geschieht mit Vorstellungen aus Israels Überlieferung. Die Engel, Boten der Vollendung, kommen aus dem himmlischen Tempel und von seinem Altar her (14, 15–18). Das Gericht über die Völker wird draußen vor der heiligen Stadt vollzogen (14, 20), wie dort die jüdische Apokalyptik dieses Gericht erwartete (Joel 4, 2. 12; 4 Esra 13, 35; ApkBar 40, 1). Der Tempel, das Zelt des Zeugnisses im Himmel, wird geöffnet und heraus treten sieben Engel. Sie schütten die Schale des Zornes Gottes über die Erde aus. Die Erlösten singen währenddessen „das Lied des Mose, des Knechtes Gottes, und das Lied des Lammes" (15, 3). Die Erlösung und der Lobpreis dafür sind eins wie Alter und Neuer Bund. Bis zur Vollendung der sieben Plagen ist „der Tempel erfüllt mit Rauch von der Herrlichkeit Gottes" (15, 8).

Die Vollendung ist geschildert als Schöpfung „eines neuen Himmels und einer neuen Erde" (21, 1–3). Auf die neue Erde senkt sich vom Himmel her das neue Jerusalem herab, die Wohnstätte Gottes bei den Menschen. Dieses neue Jerusalem ist von Ewigkeit her als Gottes Schöpfung im Himmel präexistent und nun offenbar. Die Johannes-Apokalypse nimmt damit eine Erwartung jüdischer Apokalyptik auf (Ez 40–48; 4 Esra 7, 26; 8, 52; 10, 27; ApkHen

53,6; 90,28) und vollzieht sie. Dieses neue Jerusalem ist als Braut des Lammes mit wunderbarer Herrlichkeit erfüllt (21, 9–22, 5). Die Stadt ist rings von einer gewaltigen Mauer umgeben (21,12–14; nach Ez 48, 30–35). Die Stadt ist nach überallhin durch 12 Tore offen. Auf jedes Tor ist der Name eines der 12 Stämme Israels geschrieben. Das neue Jerusalem bleibt die Stadt des Gottesvolkes Israel. Die Mauer der Stadt ist errichtet auf 12 Grundsteinen, die die Namen der 12 Apostel tragen. Es ist die Kirche, die aufgebaut ist auf dem Grund der 12 Apostel (Eph 2, 20). In der Vollendung sind Israel und Kirche eins.

7. Briefe des Paulus

Baeck, L.: Paulus, die Pharisäer und das Neue Testament. 1961. *Ben Chorin, Sch.:* Paulus. Der Völkerapostel in jüdischer Sicht. 1979. *Davies, W. D.:* Paul and the People of Israel, in: NTS 24, 1977/78, 4–39. *Ders.:* Paul and Rabbinic Judaism. 4. Aufl. 1980. *Haacker, K.:* Paulus und das Judentum, in: Judaica 33, 1977, 161–177. *Hahn, F.:* Das Gesetzesverständnis im Römer- und Galaterbrief, in: ZNW 67, 1976, 29–63. *Hooker, M. D. – Wilson, S. G. (ed.):* Paul and Paulinisms (In Honour C. K. Barett). 1982. *Hübner, H.:* Das Gesetz bei Paulus. Ein Beitrag zum Werden der paulinischen Theologie (FRLANT 119). 2. Aufl. 1972. *Käsemann, E.:* Paulinische Perspektiven. 2. Aufl. 1972. *Klein, G.:* Präliminarien zum Thema „Paulus und die Juden", in: J. Friedrich u. a. (Hrsg.), Rechtfertigung (FS E. Käsemann). 1976, 229–243. *Lorenzi, L. de (Hrsg.):* Die Israelfrage nach Röm 9–11 (Monographic Series of Benedictina, Biblical-Ecumenical Section 3). 1977. *Lüdemann, G.:* Paulus und das Judentum (Theol. Existenz heute 215). 1983. *Marquart, F. W.:* Die Juden im Römerbrief. 1971. *Müller, Ch.:* Gottes Gerechtigkeit und Gottes Volk. Eine Untersuchung zu Röm 9–11 (FRLANT 86). 1964. *Plag, Ch.:* Israels Weg zum Heil. Eine Untersuchung zu Röm 9–11 (Arb. z. Theol. 1/40). 1969. *Rengstorf, K. H. – Luck, U. (Hrsg.):* Das Paulusbild in der neueren deutschen Forschung (WdF 24). 1964. *Sanders, E. P.:* Paul and Palestinian Judaism. 1977. *Sandmel, S.:* The Genius of Paul. 3. Aufl. 1979. *Schelkle, K. H.:* Paulus. Leben – Briefe – Theologie (EdF 152). 1981. *Schlier, H.:* Grundzüge einer paulinischen Theologie. 1973. *Schmithals, W.:* Die Häretiker in Galatien, in: ZNW 47, 1956, 25–67. *Ders.:* Judaisten in Galatien?, in: ZNW 74, 1983, 27–58. *Stendhal, K.:* Der Jude Paulus und wir Heiden (Kaiser Traktate 36). 1978. *Stuhlmacher, P.:* Zur Interpretation von Römer 11, 25–32, in: H. W. Wolff (Hrsg.): Probleme biblischer Theologie (FS G. v. Rad) 1971, 555–570. *Zeller, D.:* Juden und Heiden in der Mission des Paulus. Studien zum Römerbrief (FzB 1). 1973. – *Siegert, F.:* Argumentation bei Paulus gezeigt an Röm 9–11. Maschinenschriftl. Diss. Tübingen 1984.

Der Apostel Paulus – Jude und Christ – hat das Verhältnis von
Judentum und Christentum im Neuen Testament und weit darüber
hinaus wesentlich mitbestimmt. Er hat die Auseinandersetzung
zwischen beiden durch Reflexion und Dialektik ebenso vertieft wie
verschärft. Er hat aber auch für immer jüdisches Denken nach Form
und Inhalt in die biblisch-christliche Theologie eingebracht.

Paulus sagt von seiner Herkunft (Apg 21, 39; 22, 3): „Ich bin ein
Jude aus Tarsus in Kilikien, Bürger einer nicht unbedeutenden
Stadt." Tarsus war zu Wasser und zu Land ein Straßenknoten zwi-
schen der griechisch-römischen und der orientalisch-semitischen
Welt, ihren Kulturen und Religionen. Durch berühmte Schulen war
Tarsus eine Mitte griechischer Bildung. Paulus gehörte einer,
offenbar wohlhabenden, jüdischen Familie an. Er sagt von sich
(Phil 3, 4 f.): „Wenn ein anderer meint, auf das Fleisch vertrauen zu
können, ich noch mehr: beschnitten am achten Tage, aus dem Volk
Israel, dem Stamm Benjamin, ein Hebräer von Hebräern, ein Phari-
säer nach dem Gesetz" (ähnlich 2 Kor 11, 23; Apg 21, 39; 22, 31).
Das jüdische Erbe des Paulus wurde vermehrt in einem für ihn wohl
sehr wichtigen frühen Aufenthalt in Jerusalem (Apg 22, 3). Hier
studierte er als Schüler des anerkannten Rabbi Gamaliel das jüdische
Gesetz. Die Briefe des Paulus lassen, in der Sache wie in der Metho-
de, nicht wenige Spuren des Rabbinismus erkennen. Tarsus war zur
Zeit des Paulus auch Hauptstadt der römischen Provinz Kilikien.
Mit seiner Familie besaß Paulus das römische Bürgerrecht (Apg
22, 25). Er berief sich darauf zu Schutz und Sicherheit sowohl vor
den Behörden in Philippi (Apg 16, 37) als auch vor dem römischen
Hauptmann in Jerusalem (Apg 22, 25). Von den dortigen Gerichten
weg, wo er für sein Recht fürchtete, legte Paulus Berufung an das
kaiserliche Gericht in Rom ein, und dem wurde stattgegeben
(Apg 25, 11 f.). Als römischer Bürger anerkannte Paulus das Römische Reich und dessen Ordnung. Damit trennte er sich von jenem
Judentum, das dem Römischen Reich gegenüber allenfalls in passi-
ver Loyalität verharrte, wie noch mehr von einem anderen Teil, der
das Reich im Widerstand ablehnte oder offen angriff, was schließ-
lich zur Katastrophe des römisch-jüdischen Krieges 66–70 führte.
Paulus äußert sich ausführlich über Rom und das Reich
Röm 13, 1–7: „Du wirst Lob von der Obrigkeit erhalten . . . Sie ist
Rechtswahrerin des göttlichen Zornes." Diese Worte sind erstaun-
lich vorbehaltlos in Anbetracht dessen, was Paulus von römischen
Behörden erfahren hat (2 Kor 11, 23–26) und was Jesus durch
kaiserliches Gericht erduldet hat. Zum Verständnis des Textes ist

vielleicht daran zu erinnern, wie jüdische Schöpfungs- und Geschichtstheologie staatliche Ordnung anerkannte. Im Tempel zu Jerusalem wurden regelmäßig für Kaiser und Reich Opfer dargebracht (Philon, Gesandtschaft an Gaius 152 f.; 355 f.; Josephus, Jüdischer Krieg 2, 10, 4; Ders., Gegen Apion 2, 6). Spricht sich Röm 13, 1–7 etwa der Dank der jüdischen Minderheit als „erlaubter Religion" für den Schutz des Staates aus (I. 2.)?

Sprach man im Hause des Paulus wohl Aramäisch, so sprach er von Jugend an wohl auch Griechisch. Vielleicht wurde auch in der Synagoge die griechische Übersetzung des Alten Testaments benützt, wie auch Paulus in seinen Briefen von dieser Übersetzung ausgeht. So hatte Paulus von Anfang an teil an jüdischer und griechischer Bildung und Geistigkeit. Seine Briefe[6] lassen auch tiefgehende griechische Bildung erkennen. Vor allem ihr Ethos weist griechische Erkenntnisse in Sachen, Wörtern und Formeln auf. Nicht leicht ist das Verhältnis des Paulus zur spätantiken Gnosis zu erkennen und zu beschreiben (I. 2.). Jedenfalls war Paulus durch all

---

[6] Die Frage einer „Pseudepigraphie", die sich oft bei Schriften aus dem Altertum stellt, gilt auch für Schriften des Neuen Testaments, insbesondere die Briefe. Nach heute weithin gemeinsamem Urteil der historisch-kritischen Exegese stammen unmittelbar von Paulus der Brief an die Römer, die zwei Briefe an die Korinther, die Briefe an die Galater, an die Philipper, der erste Brief an die Thessalonicher, der Brief an Philemon. Die Gedanken und Worte des Paulus werden pseudepigraphisch unter seinem Namen fortgeführt und nach den neuen Verhältnissen weiterentwickelt in den Briefen an die Epheser, die Kolosser, im zweiten Brief an die Thessalonicher und den Pastoralbriefen (zwei Briefe an Timotheus und Brief an Titus). Pseudepigraphisch sind wohl auch die sieben „Katholischen Briefe". Der Wert pseudepigraphischen Schrifttums ist erst zu erkennen, wenn dieser Charakter anerkannt wird. Dann sind beispielsweise pseudepigraphische Briefe unter dem Namen des Paulus zu werten als Urteil über den bedeutenden Apostel und als seine Nachwirkung in der Geschichte. – Brox, N.: Falsche Verfasserangaben. Zur Erklärung der frühchristlichen Pseudepigraphie (SBS 79) 1975; Ders., Pseudepigraphie in der heidnischen und jüdisch-christlichen Antike (WdF 45) 1977; Fischer, K. M.: Anmerkungen zur Pseudepigraphie im Neuen Testament, in: NTSt 23, 176/77, 76–81; von Fritz, K.: Pseudepigraphie 1. 1972; Speyer, W.: Literarische Fälschung im Altertum, in: RAC 7, 1969, 236–277; Ders., Die literarische Fälschung im heidnischen und christlichen Altertum (Handbuch d. klassischen Altertumswissenschaft I/2) 1971; Zmijweski, J., Apostolische Paradosis und Pseudepigraphie im Neuen Testament, in: Bibl. Zeitschr. NF 23, 1979, 161–171.

das vorbestimmt, das Evangelium in Israel wie in der griechischen Welt zu verkünden.

Paulus berichtet von sich selbst, daß er nicht etwa durch aufkommende Zweifel und kritische Reflexion bestimmt wurde, sich von seinem Judentum ab- und dem christlichen Glauben zuzuwenden, sondern durch die überwältigende Erscheinung des erhöhten Christus. Paulus bezeugt dies wiederholt andeutend (Gal 1, 15; 1 Kor 9, 1; 15, 8). In der Apostelgeschichte (9, 1–19; 22, 3–21; 26, 9–18) ist die Erscheinung mit den Motiven von Epiphanie-Erzählungen (wie 2 Makk 3, 24–40; 4 Makk 4, 10–14) beschrieben. Als Apostel setzte er sich in seiner Lehre mit seiner jüdischen Vergangenheit und dem Judentum auseinander. Seine Briefe sind dafür die wichtigste Urkunde. Paulus war stolz auf sein Judentum (2 Kor 11, 22; Phil 3, 6). Er ist nicht „Sünder aus dem Heidentum" (Gal 2, 15). Er ist und bleibt Jude auch nunmehr als Christ (Röm 11, 1).

Daß aber des Paulus eigenes Volk größtenteils das Heil abweist und verloren scheint, ist für Paulus „große Trauer und unablässiger Schmerz" (Röm. 9, 2). Eben jetzt, da Israels Gnade fraglich wird, breitet er den Reichtum des erwählten Volkes noch einmal aus (Röm 9, 4 f.): „Sie sind Israeliten, ihrer ist die Sohnschaft, die Herrlichkeit, die Bünde, das Gesetz, der Gottesdienst und die Verheißung; sie haben die Väter; aus ihnen stammt Christus dem Fleische nach." In allen Briefen muß sich Paulus mit seinem Volk Israel auseinandersetzen. Überall stößt er mit dem ungläubigen, gegnerischen Israel zusammen, da ja das jüdische Volk im späteren Altertum in einer weltweiten Diaspora lebte. Es kam zu schweren Konflikten in der gerichtlichen Öffentlichkeit (2 Kor 11, 24–26): „Fünfmal habe ich von den Juden 40 Geißelhiebe weniger einen erhalten, dreimal bin ich mit Ruten geschlagen, einmal gesteinigt worden." Israels Schuld ist es, daß es die aus dem Glauben an Christus geschenkte Gerechtigkeit nicht annehmen, sondern seine eigene Gerechtigkeit durch Werke aufrichten will (Röm 10, 3). Paulus erwehrt sich der „Judaisten" (Gal 1, 13 f.; 2, 14). Dies sind Judenchristen, die in seine Gemeinde eindringen, um den Christen aus dem Heidentum nun das Gesetz aufzuzwingen (so Gal 1–5; 2 Kor 11 u. 12; Phil 3, 2 f. 18 f.). Eine heftige ausführliche Auseinandersetzung erfolgt im Galaterbrief. Die Mehrzahl der galatischen Christen waren Heidenchristen (Gal 4, 8 f.). Die Judaisten forderten auch von ihnen Beschneidung (5, 3. 12; 6, 12. 15) wie die Einhaltung der jüdischen Feiertage, insbesondere des Sabbat-Gesetzes. Nur so würden die Heidenchristen dem Volk Gottes angehören

(3, 6–16. 29; 6, 16). Die Heiden müßten also erst Juden werden, bevor sie Christen werden konnten. Paulus stellt mit Erstaunen und Erbitterung fest, daß die Heidenchristen willens waren, solchen Forderungen nachzukommen. Er nennt die Judaisten schneidend „falsche Brüder", die die christliche Freiheit versklaven (2, 4). Paulus wagt den scharfen Sarkasmus: Die da die Beschneidung wollen, sollen sich doch gleich verschneiden lassen (5, 12). Das Kreuz Christi ist der vollständige Bruch mit dem Judentum wie mit der Welt. Der Christ ist mit Christus der Welt wie dem jüdischen Gesetz gekreuzigt (2, 19f.; 6, 14) und damit von ihnen befreit (3, 13). Die Rechtfertigung geschieht nicht durch Gesetzeswerke, sondern allein durch den Glauben, der das von Christus erworbene Heil annimmt (2, 16). Der Glaube schenkt den Geist und dessen Kräfte (3, 2). Christentum, das zusätzlich das Gesetz erfüllen will, gewinnt nichts, verliert vielmehr alles, das Evangelium (4, 9. 17) wie den ganzen Christus (5, 7). In einer nicht eben leicht verständlichen Allegorese erklärt Paulus (4, 21–28) die Geschichte der freien Sara und der Sklavin Hagar und deren Kinder Isaak und Ismael (Gen 21, 9–21). Israel ist – als Hagar – das irdische Jerusalem, das in der Sklaverei lebt. Die Kirche ist – als Sara – das himmlische freie Jerusalem. Die Schrift aber sagt: „Wirf die Sklavin und ihren Sohn hinaus. Denn der Sohn der Sklavin soll nicht erben mit dem Sohn der Freien." Kirche und Israel sind zu scheiden und geschieden. In ähnlicher Weise setzt sich Paulus mit judenchristlicher Mission auch auseinander im Philipperbrief (3, 2–5) und im 2. Korintherbrief (10–13), wohl auch im Römerbrief (16, 18–20). In umfassender Lehre handelt Paulus im Römerbrief über die Unheils- und Heils-Geschichte der beiden Teile, in die die Menschen in diesem Betracht für ihn sich teilen, Juden und (Heiden-) Völker. Israel ist das ersterwählte Volk. Darum galt und gilt der Grundsatz: „Erst der Jude, dann der Grieche" (Röm 1, 16; 2, 9f.; 10, 12). Jenen muß darum das Evangelium zuerst angeboten werden (Apg 13, 46), wie denn Paulus in der Apostelgeschichte immer zuerst in der Synagoge predigt und erst von ihr abgewiesen bei den Heiden (Apg 9, 20 u. ö.; s. II. 4.). Die Predigt des Paulus und die christliche Mission in Israel waren nicht völlig vergeblich. Es ist als „eine Auswahl der Gnade ein heiliger Rest" aus Israel vorhanden (Röm 11, 5). Paulus selbst ist dafür ein Beispiel (Röm 11, 1). Es gibt auch das „Israel Gottes" (Gal 6, 16).[7] Dem „Neuen Bund" (1 Kor 11, 25) gehören Juden und

---

[7] Die Erklärung des Wortes ist kontrovers. „Israel Gottes" wurde (und

Heiden an. Unterschiede und Scheidung werden aufgehoben. „Weder Beschneidung gilt etwas noch Unbeschnittenheit, sondern neue Schöpfung" (Gal 6, 15). „Da ist nicht Jude noch Grieche, nicht Sklave noch Freier, nicht männlich noch weiblich; denn ihr alle seid einer in Christus Jesus" (Gal 3, 28). Israel bleibt aber das erwählte Volk. „Gott gereut es nicht der Gnadengaben und der Berufung" (Röm 11, 29). Israel bleibt die heilige Wurzel, die den Stamm der Kirche trägt (Röm 11, 16–20). Paulus will das Geheimnis der Zukunft erschließen: „Ganz Israel wird gerettet werden." Dies ist die Verheißung der Propheten (Röm 11, 25–27). Da Paulus die Vollendung der Zeiten nahe glaubte, wird also auch Israels Heil sich bald vollenden. Wie eine erschütternde Vision über Israels frühere und künftige Geschichte scheint das Wort zu sein (Röm 11, 8f.): „Gott gab ihnen einen Geist der Betäubung, Augen nicht zu sehen und Ohren nicht zu hören bis zum heutigen Tag" (Dtn 29, 3; Jes 29, 10) . . . „Es werde ihr Tisch ihnen zur Schlinge und zur Falle . . . Und ihren Rücken beuge immerdar" (Ps 69, 23 f.).

Schwer beschuldigt werden die Juden 1 Thess 2, 14–16: „Sie haben den Herrn Jesus getötet und die Propheten; sie haben uns verfolgt; sie gefallen Gott nicht und sind aller Menschen Feind; um das Maß ihrer Sünde jederzeit vollzumachen, wehren sie uns, zu den Völkern zu reden, damit diese gerettet werden. Doch der Zorn ist zum Ende über sie gekommen." In diesem Text sind oft wiederholte Anklagen der Juden vereinigt. Sie werden beschuldigt, Jesus getötet zu haben (IV. 1. 3. 1.), wie sie die Propheten getötet haben (IV. 1. 3. 2.). Das sind die christlichen Anklagen der Juden. Sind sie einfachhin so gültig? Die Juden werden aber auch beschuldigt, Gott nicht zu gefallen und den Menschen feind zu sein. Dies sind seit langem Beschuldigungen gegen die Juden in der Alten Welt (I. 1.–3.). Diese letzteren Beschuldigungen hatten Anlaß in der im Gesetz begründeten Verhaltensweise der Juden. Wenn die Heiden dies nicht wußten, mußte es nicht doch Paulus wissen? Was bedeutet die geheimnisvolle Androhung vom „Zorn bis zum Ende"? Dies klingt wie eine vorweggenommene Prophetie des Untergangs von Tempel und

wird) meist verstanden als die Kirche. Doch kann es auch das wahre, gläubige Israel (Röm 11, 5) bedeuten. Dieses ist wahrscheinlicher, da Paulus die Kirche nie Israel nennt; so. G. Schrenk, Was bedeutet „Israel Gottes"?, in: Judaica 5, 1949, 81–94. – N. A. Dahl, Der Name Israel. Zur Auslegung von Gal 6, 16. Antwort zu G. Schrenk, „Was bedeutet Israel Gottes?", in: Judaica 6, 1950, 161–170.

Stadt Jerusalem im Jahre 70. Oder ist dieses schon als geschehen vorausgesetzt, und der Text also als nach-paulinisch erkennbar? Wie soll diese Drohung übereinstimmen mit der Ankündigung des Paulus, es werde ganz Israel gerettet werden (Röm 11, 28)?

Seitdem Ferdinand Christian Baur (Paulus, der Apostel Jesu Christi, Stuttgart 1845, 480–482) hauptsächlich wegen 1 Thess 2, 14–16 den ganzen Brief Paulus abgesprochen hat, bemüht sich die Exegese um das Verständnis dieser Verse. Neuerdings wird an ihrer authentischen Herkunft von Paulus gezweifelt; sie seien vielmehr ein Zeugnis von christlichem Antisemitismus (so insbesondere B. A. Pearson, 1 Thessalonians 2, 14–16: A Deutero-Pauline Interpolation, in: HThR 64, 1971, 79–94). Andere Auslegung hält die Verse zwar für ursprünglich im Brief des Paulus, empfindet sie aber als so fremd, daß sie annimmt, Paulus folge älterer, schon formulierter Überlieferung (so G. Lüdemann, Paulus und das Judentum. 1983, 25–27; O. H. Steck, Israel und das gewaltsame Geschick der Propheten. 1967, 274 f.). An der paulinischen Herkunft hält fest I. Broer: „Antisemitismus" und Judenpolemik im Neuen Testament. Ein Beitrag zum besseren Verständnis von 1 Thess 2, 14–16, in: B. B. Gemper (Hrsg.), Religion und Verantwortung als Elemente gesellschaftlicher Ordnung (Beihefte zu d. Siegener Studien 8). 1983, 734–770.

8. Deuteropaulinen. Hebräer-Brief

Auseinandersetzung zwischen Judentum und Christentum geschieht weiter in den deuteropaulinischen Briefen an die Kolosser und an die Epheser. Sonderlehren, die in Kolossä verbreitet wurden, hatten wohl auch jüdische Elemente aufgenommen. Solche waren die Regeln „hinsichtlich von Essen und Trinken" und der Feier der Neumonde oder des Sabbats (Kol 2, 16) wie die Vorstellung von verunreinigenden Berührungen (2, 21). Vielleicht wurde auch die Beschneidung gefordert (2, 11). Der Brief löst die Fragen in seiner hohen Christologie. Christus ist Haupt und Einheit der Schöpfung (1, 15) und der Geschichte wie nunmehr der versöhnten Menschheit und der Kirche (1, 18). Er ist auch Erfüllung und Ende des alttestamentlichen Gesetzes, das vor ihm schwindet wie der Schatten vor dem Licht. Durch ihn ist die Kirche von Gesetz und Gesetzlichkeiten befreit (2, 16–23).

Der Epheser-Brief folgt und vertieft auch hier, wie sonst den vorgängigen Kolosser-Brief. Das Ziel der Heilsgeschichte ist, wie die Überwindung von aller Spaltung, so auch die der Spaltung zwischen Israel und Völkern. Christus ist das Haupt des Leibes, der die Kirche ist (Eph 1, 22 f.; 4, 15 f.), und „beherrscht auch ganz und gar das All" (5, 23). So ist auch die Kirche die eine aus Juden und Heiden. So ist also das Alte Testament als Gesetzlichkeit aufgehoben. Dort galt „die Beschneidung, welche am Fleisch mit der Hand geschieht" (2, 11). Christus hat „das Gesetz der in Satzungen bestehenden Gebote abgetan" (2, 15). Doch es bleibt das unvergängliche Vorrecht Israels, sein „Bürgerrecht und die Bündnisse der Verheißung, die Hoffnung, Christus und Gott" (2, 12 f.). Daran sollen nun auch die Heiden Anteil erhalten. Denn Christus hat „die Scheidewand des Zaunes, die Feindschaft abgebrochen in seinem Fleisch" (2, 14 f.). Er vereinte im Frieden „die (einst) Fernen und die Nahen" (2, 17). Gabe wie Aufgabe ist „ein Leib und ein Geist, eine Hoffnung, ein Herr, ein Glaube, eine Taufe, ein Gott und Vater aller" (4, 4 f.). Juden und Judentum sind nicht mehr Gegner der Kirche, sondern nur noch Erinnerung vergangener Geschichte.

Die Pastoralbriefe bestreiten eine Häresie mit verschiedenen Inhalten oder verschiedene Häresien. Es besteht die überwiegende Wahrscheinlichkeit, daß sich verschiedene Elemente in einer Häresie verbunden haben. Gemäß 1 Tim 6, 20, wo von den „Antithesen der fälschlich so genannten Erkenntnis (Gnosis)" die Rede ist, wird man annehmen, daß die Gnosis Einfluß hatte. Nach Tit 1, 10 sind die Häretiker „eitle Schwätzer und Verführer, am meisten die aus der Beschneidung". Ihnen werden schwere Vorwürfe gemacht: „Ganze Häuser ruinieren sie mit ihren unziemlichen Lehren um schmutzigen Gewinnes willen." Titus (1, 14) soll dafür Sorge tragen, daß die als Christen Angesprochenen „im Glauben gesunden und sich nicht an die jüdischen Fabeln und an Gebote der Menschen halten". Die Häresie enthält also wohl nicht nur jüdische Elemente, sondern wird von Juden vertreten. Diese sind dann wohl auch 1 Tim 1, 7 gemeint: „Sie wollen Gesetzeslehrer sein und verstehen weder, was sie sagen, noch, worüber sie Behauptungen aufstellen." Die Häretiker, wohl als Diasporajuden christliche „Judaisten", wollen in die christlichen Gemeinden jüdische Vorstellungen und Lehren einbringen. Sie vertreten etwa Äußerlichkeiten des Gesetzes; vom inneren Sinn haben sie nichts verstanden. Ihnen soll „der Mund gestopft werden" (Tit 1, 11). Ihr Lehren muß in der Gemeinde aufhören.

Der Hebräer-Brief legt mit Kunst und Sorgfalt das Buch Israels, das Alte Testament, auf die nunmehrige Erfüllung hin aus. Christus ist höher als Mose. Mose war Diener im Hause Gottes, Christus aber ist als Sohn über dieses Haus gesetzt, das die Kirche ist (Hebr 3, 1–6). Christus ist der Hohepriester nach der Ordnung des Melchisedek und als solcher Ende, weil Vollendung des alttestamentlich levitischen wie allen Priestertums (4, 14–5, 10; 7, 1–21; 8, 5). Die Auslegung berührt sich in diesen Kapiteln mit der in Qumran gefundenen Schrift 11Q Melchizedech. Jesus gehört dem nichtpriesterlichen Stamm Juda an, nicht dem priesterlichen Stamm Levi-Aaron. Doch er ist der priesterliche Messias (7, 11–14). Die Kirche ist das wandernde Gottesvolk (gemäß Ps 95, 7–11), das in die Sabbatruhe eingehen darf (3, 7–4, 4). Dies ist der bleibende Neue Bund mit dem bleibenden wahren Heiligtum (8, 8–12). Der Verfasser des Hebräer-Briefes ist ein mit dem Alten Testament und Israels Hoffnung vertrauter, hellenistisch gebildeter Judenchrist. Der Brief ist bleibendes Vermächtnis der hellenistischen Synagoge an die Kirche. Zu gleicher Zeit, da sich nach dem Zeugnis der Evangelien, wie gemäß der Synode von Jamnia (III. 2.), Synagoge und Kirche als zwei Religionen trennen, vermag der Hebräer-Brief versöhnlich zu sprechen.

9. Brief des Jakobus

Hoppe, R.: Der theologische Hintergrund des Jakobusbriefes (FzB 28). 1973. *Schmithals, W.:* Paulus und Jakobus (FRLANT NF 85). 1963.

Der Brief des Jakobus ist eher eine Abhandlung als ein Brief. Als Verfasser muß wohl ein Judenchrist gelten, da er literarisches jüdisches Erbe in reichem Maße benutzt. Die gepflegte griechische Sprache läßt aber wohl auch einen Hellenisten erkennen. Das Präskript 1, 1: „Jakobus, Gottes und des Herrn Jesus Christus Knecht, den zwölf Stämmen in der Zerstreuung einen Gruß", verwendet jüdisches Gut. Jüdisch empfunden ist das Gottesverhältnis, da Jakobus sich als Knecht Gottes (Dtn 34, 5; Jes 42, 1; Dan 3, 26; 6, 20) bezeichnet. Die Adresse an die zwölf Stämme Israels benutzt Erinnerungen an jüdische Geschichte. Gemeint sind nicht die Juden, wohl auch nicht die Judenchristen außerhalb Palästinas, sondern Christen in der Fremdheit der Welt (wie 1 Petr 1, 1; 2, 11). Der Name Jesu ist in dem Brief nur zweimal (1, 1; 2, 1) genannt. Doch finden sich nicht wenige Berührungen mit Worten Jesu; so Jak 1, 5 und Mt 7, 7 über die Erhörung des Gebetes, Jak 1, 2 und

Mt 7, 24–27 über das Hören und Tun des Wortes; Jak 3, 12 und Mt 7, 16 über die echten Früchte; Jak 4, 11 f. und Mt 7, 1 f. als Verbot des Richtens; Jak 5, 2 und Mt 6, 19 über den Reichtum; Jak 5, 7 und Mk 4, 26–29 über die Ernte; Jak 5, 12 und Mt 5, 34–37 als Verbot des Schwörens; Jak 5, 17 und Lk 4, 25 über das Gebet des Elia. Diese Berührungen werden schwerlich eine Bezugnahme des Briefes auf die Evangelien oder wenigstens ihre vorliterarische Überlieferung erkennen lassen, sondern werden nur ein Erbe aus gleicher Überlieferung sein. Der Jakobus-Brief gebraucht weithin Überlieferung der Paränese. Judentum wie Griechentum haben eine reiche paränetische Literatur geschaffen. Sie berührt sich in manchem. So läßt sich im Jakobus-Brief der Einfluß hellenistischer Gedanken nicht ausschließen. Jakobus benutzte das Alte Testament nach der LXX. So ist Jak 2, 23 gleich Gen 15, 6; Jak 4, 6 gleich Spr 3, 34; Jak 5, 20 gleich Spr 10, 12. Andere Sätze des Jak (1, 10 f.; 3, 9; 5, 4; 5, 7) klingen an LXX an. Nicht wenige Stellen erinnern an das Buch der Sprüche, ohne daß jedoch auf literarische Abhängigkeit zu schließen wäre. Weniger zahlreich sind Berührungen mit Weisheit, Sirach, Tobias. Auch außerkanonische Schriften werden mit dem Jakobus-Brief verglichen. Zu nennen wären die Testamente der Zwölf Patriarchen, Henoch, Sprüche der Väter, wohl auch Hirt des Hermas. Der Kettenschluß Jak 1, 2–4 und Röm 5, 3–5 ist formal und sachlich aus gleicher paränetischer Überlieferung zu erklären. Jak 2, 10 wie Gal 5, 3 mag eine gleiche jüdische Regel benutzt sein. Jak 2, 14–26 wie Paulus Röm 3, 28; 4, 3. 12; Gal 2, 16; 3, 6 erörtern unter Zusammenordnung von Gen 15, 6 mit Gen 22, 17 f. die Frage des Glaubens und der Werke. Die Texte der Genesis waren schon in der jüdischen Tradition verbunden worden (1 Makk 2, 52; Jub 17, 15–18; s. auch Strack-Billerbeck, Kommentar 3, 199–202). Aus dieser Auslegungsüberlieferung stammen Jakobus wie Paulus, wobei Jakobus sich überdies nicht unmittelbar mit Paulus, jedoch mit einer überzogenen Nachwirkung des Paulus auseinandersetzen wird.

Der Jakobus-Brief bringt umfangreiches, bedeutsames Erbe jüdischer Weisheit in das Neue Testament ein.

III. GRUPPEN DER JUDEN

Baeck, L.: Paulus, die Pharisäer und das Neue Testament. 1961. *Beilner, W.:* Christus und die Pharisäer. 1969. *Bowker, J.:* Jesus and the Pharisees. 1973. *Erbstein, D.:* Waren die Pharisäer und die Schriftgelehrten Heuchler?, in: Judaica 8, 1952, 193–207. *Finkel, A.:* The Pharisees and the Teacher of Nazareth (Arbeiten z. Geschichte d. Spätjudentums u. Urchristentums 4). 1964. *Finkelstein, L.:* The Pharisees. The Sociological Background of their Faith. 2 Bde. 3 Aufl. 1962. *Flusser, D.:* Die Pharisäer. 1963. *Hengel, M.:* Die Zeloten. Untersuchungen zur jüdischen Freiheitsbewegung in der Zeit von Herodes I bis 70 n. Chr. 1961. *Merkel, H.:* Jesus und die Pharisäer, in: NTSt 14, 1967/68, 194–208. *Meyer, R.:* Tradition und Neuschöpfung im antiken Judentum. Dargestellt an der Geschichte des Pharisäismus, in: Sitzungsber. d. Sächs. Akademie d. Wissensch., Philol.-histor. Klasse 110/2. Berlin 1965, 9–88. *Neusner, J.:* The Rabbinic Traditions about the Pharisees before 70. 3 Bde. 1971. *Odeberg, H.:* Pharisaism and Christianity. 1964. *Schubert, K.:* Die jüdischen Religionsparteien im Zeitalter Jesu Christi. 1970. *Simon, M.:* Die jüdischen Sekten zur Zeit Christi. Übersetzung. 1964. *Weiß, H. F.:* Der Pharisäismus im Licht der Überlieferung des Neuen Testaments, in: Sitzungsber. d. Sächs. Akademie d. Wissensch., Philol.-historische Klasse 110/2. Berlin 1965, 91–132. – *Mudla, J.-G. M. M.:* Jesus und die Führer Israels. Studien zu den sog. Jerusalemer Streitgesprächen (NtA NF 17). 1984.

Es seien einige jüdische Gruppen genannt, die zur Zeit des Neuen Testaments in der Auseinandersetzung mit dem Christentum besonders hervortraten. Das jüdische Volk war damals im eigenen Land keine einheitliche Volksgemeinschaft, sondern geistig, religiös, sozial und politisch verschieden. Eine gleichwohl bestehende Einheit tritt im Neuen Testament weniger hervor, da hier das Interesse vorwaltet, die Juden je im positiven oder meist negativen Verhältnis zu Evangelium und Kirche, also in Parteien darzustellen. Als solche Gruppen treten im Neuen Testament besonders hervor Priester, Pharisäer, Sadduzäer, Schriftgelehrte, Zeloten. Nicht erwähnt werden im Neuen Testament die Essener und die Gemeinde von Qumran, wobei diese beiden wohl, jedenfalls weithin, identisch wären.

1. Priester

Wie in allen Religionen, so hat das Priestertum auch in Israel
große Bedeutung. Zunächst waren Familienhäupter auch Priester
(Ri 8, 27; 13, 5). Priester gab es auch an einzelnen Heiligtümern
(Ri 17, 5 f.; 20, 27 f.; 1 Sam 2, 27–36). Ganz Israel sollte aber heilige
Priesterschaft sein (Ex 19, 6). Durch die Einsetzung des Aaron aus
dem Stamm Levi begründete Mose das aaronitische Priestertum
(Ex 28; Lev 8; Num 8). Nach der Rückkehr aus dem Babylonischen
Exil wurde das Priestertum durch Esra neu geordnet (Neh 11 u. 12;
13, 30). Den Priestern oblag der Kult, der allein im Tempel zu Jeru-
salem vollzogen werden durfte. Ihnen war aber auch die Auslegung
des Gesetzes und die Mahnung zu seiner Befolgung aufgetragen
sowie die Befragung Gottes und die Vermittlung seines Wortes. Das
Priestertum war gegliedert in Ordnungen und Diensten, die das
Amt im Tempel abwechselnd versahen, sonst aber vom Tempel ent-
fernt wohnen konnten (Lk 1, 5). Priester werden auch nach ihrer
Herkunft Leviten genannt. In der späteren Ordnung waren die Leviten geringeren Standes als die Priester (Ez 44–48). Von früh an
stand den Priestern ein Hoherpriester vor (Num 35, 25), dessen Bedeutung und Stellung in den Zeiten sehr verschieden war. Obwohl
es rechtlich je nur einen Hohenpriester gab, ist doch die Rede von
Hohenpriestern als einer Gruppe von Priestern im Synedrium. Dieses (der „Hohe Rat") bestand nach Num 11,16 aus 70 Mitgliedern
unter dem Vorsitz des Hohenpriesters. Diese Mitglieder waren
Priester, Älteste als Laienadel und Schriftgelehrte. Das Ende dieses
Priestertums ist angesagt in der Vision Jes 66, 21, die verkündet,
daß Jahwe auch aus allen Völkern Priester und Leviten beruft.

Im Neuen Testament wird das jüdische Priestertum immer wieder genannt. Die Kindheitsgeschichte des Lukas (1, 5–25. 40–80)
stellt einen frommen Priester mit seinem Hause vor. Mit dem Wort
an den geheilten Aussätzigen: „Zeige dich dem Priester" (Mk 1, 44)
anerkennt Jesus den Auftrag des Priesters, über kultische Reinheit
und Volksgesundheit zu wachen. Mt 12, 4 ist erwähnt, wie priester-
liches Recht vor anderem zurücktreten muß, Mt 12, 5, daß der
Tempeldienst des Priesters notwendig den Sabbat verletzen muß.
Das Priestertum ist abgewertet, wenn der fremdgläubige Samariter
den Liebesdienst tut, während Priester und Levit vorübergehen (Lk
10, 31 f.). In den Evangelien sind Hoherpriester und Priester von
Anfang an und immer wieder als die Gegner Jesu genannt (Mt 2, 4;
16, 21; 20, 18; 21, 15. 45); dann vor allem in der Leidensgeschichte

Jesu (Mt 26, 3. 14. 47. 57. 65; 27, 1. 3. 12. 62). Priester sind auch die
Gegner der Gemeinde Jesu in Jerusalem (Apg 4, 6; 5, 17. 21; 9, 1;
23, 2. 14; 24, 1; 25, 2). Die Apostelgeschichte (6, 7) berichtet jedoch
auch, daß „eine große Menge Priester dem Glauben gehorsam wurden". Dies bedeutet irgendwie eine Auflösung des Priestertums.
Mit der Zerstörung des Tempels im Jahre 70 verlor das jüdische
Priestertum seine Bedeutung, da der Kult aufhörte. Es lebt allenfalls
fort im jüdischen Familiennamen Kohen oder Kohn.

2. Pharisäer

Eine sehr wichtige, auch im Neuen Testament hervortretende
Gruppe sind die Pharisäer. Der Name (von *pharas:* trennen) bedeutet „die von der Masse Abgesonderten". Ihre Gemeinschaft entstand wohl im 2. Jh. v. Chr. in der Verteidigung von Gesetz und
Überlieferung gegen die Übermacht des Hellenismus. Die Pharisäer
waren eine Bewegung von meist einfachen Laien. Jedoch gehörten
auch Schriftgelehrte immer mehr ihrer Gemeinschaft an. Nicht zum
wenigsten verlangten die Pharisäer strenge Beobachtung der Rein-
heits- und Heiligkeitsgesetze der Tora. Um das unbedingt Gültige
nicht zu verletzen, machten sie durch zusätzliche Vorschriften einen „Zaun um das Gesetz" (Sprüche d. Väter 1, 1; 3, 13). Sie leisteten mehr als das, was vorgeschrieben war (Lk 18, 12). Durch ihre
Strenge gerieten die Pharisäer in Gegensatz zu anderen jüdischen
Gemeinschaften, auch Priestern und Sadduzäern. So wurden sie
auch Gegner Jesu. Es schiene wohl leichter, zu erklären, wenn Jesus
zu den Unfrommen und Gleichgültigen in Gegensatz geraten wäre,
als zu den Frommen und Gerechten, den Pharisäern. Das Verhältnis zwischen Jesus und den Pharisäern war denn auch anfänglich
freundlicher. Die Evangelien zeigen Jesus als Gast von Pharisäern
(Lk 7, 36–50; 11, 37–43; 14, 1–6). Mit dem Pharisäer Nikodemus
führt Jesus ein freundliches Lehrgespräch (Joh 3, 1–21). Nikodemus bringt zur Grablegung Jesu eine verschwenderische Menge
kostbarer Gewürze (Joh 19, 39). Als Grund der Auseinandersetzung erscheint verschiedene Auslegung des Gesetzes (Mk 7, 5–13;
Mt 12, 1–14; Joh 9). Die Pharisäer nehmen Anstoß daran, daß Jesus
in die Gemeinschaft der Sünder eintritt (Mt 9, 11; Joh 7, 49). Jesus
rechtfertigt sein Verhalten den Pharisäern und Schriftgelehrten gegenüber mit den drei Gleichnissen vom Verlorenen (Lk 15, 1–32).
Der Gegensatz zwischen Jesus und den Pharisäern kann vielleicht

als zutiefst gegensätzlicher Gottesbegriff verstanden werden. Die Pharisäer lehren Gott als den Gott der Gerechtigkeit und des Rechtes, Jesus verkündet ihn als den Gott der schenkenden Gnade. Dies ist vielleicht angedeutet im Logion, daß die Gerechtigkeit der Pharisäer nicht genügt für das Königreich der Himmel (Mt 5, 20). Diese wahre Gerechtigkeit wird nicht gewonnen durch Steigerung des Werkes, sondern sie ist Hoffnung auf Gottes Gabe und Vollendung. In der Apostelgeschichte ist zunächst das Verhältnis der Kirche zu den Pharisäern nicht ungünstig. Im Hohen Rat stehen sie auf der Seite der Jünger (Apg 5, 34–39; 23, 1–9). Pharisäer treten in die Gemeinde der Jesusjünger ein (Apg 15, 5). Es entwickelt sich jedoch offenbar ein immer schwererer Gegensatz zwischen Pharisäern und Kirche. Im Johannes-Evangelium sind sie Gegner Jesu (7, 32; 11, 53; 18, 3) wie der Jünger (9, 22. 34; 12, 42). Der Gegensatz ist offen in der Rede Jesu gegen die „Schriftgelehrten, Pharisäer, Heuchler“ (Mt 23, 1–7. 13–36). Die Rede ist, wie die sieben großen Reden des Matthäus-Evangeliums, eine – höchst wirkungsvolle – Schöpfung des Evangelisten mittels überlieferter Worte. Dies wird schon daraus ersichtlich, daß mehrere dieser Sprüche auch Lk 11, 37–45; 20, 45 f., hier jedoch in anderem Zusammenhang, erscheinen. Jene Rede des Matthäus-Evangeliums ist das letzte öffentliche Auftreten Jesu vor dem gesamten Volk Israel. Dann wendet sich Jesus nur noch an den engeren Jüngerkreis (Mt 24, 1). Mt 23, 13–36 ist in einem siebenfachen Weheruf das Gericht über Israels geistige Führung und wesentliche Gestalt. Die Rede ist geortet auf dem Tempelplatz in Jerusalem als der Mitte Israels. Zuletzt wird das „Gericht der Hölle“ angesagt (Mt 23, 33). Das Matthäus-Evangelium mag etwa 90 n. Chr. datiert werden. In dieser Zeit sind Israel und Kirche zwei getrennte, ja gegnerische Gemeinschaften. Aus dieser Haltung ist Mt 23 zu erklären. Das Judentum selbst kritisierte den Pharisäismus wegen seiner Selbstgerechtigkeit und Unwahrhaftigkeit. Rabbinische Auseinandersetzung mit dem Pharisäismus ist gesammelt bei Strack-Billerbeck, Kommentar 4, 334–352.

In den Schriften von Qumran werden mit großer Heftigkeit falsche Lehrer angegriffen. Sie sind „Propheten der Lüge“ (1 QH 4, 16). Sie „vertauschen das Gesetz“ (1 QH 4, 10). Sie betreiben falsche Schriftauslegung (1 QpH 10, 9 f.; Damaskusschr. 4, 3; 8, 3). Vermutlich sind hier (auch) Pharisäer gemeint. Dies gilt wohl auch Himmelfahrt des Mose 7, 3–10, wo Lehrer verurteilt werden, die Betrüger sind. Die Verurteilung der Pharisäer Mt 23 ist auch zeitgeschichtlich gebunden (II. 3.). Angemerkt sei, daß die Pharisäer in der Leidensgeschichte Jesu nicht als dessen Gegner erscheinen.

3. Schriftgelehrte

Einen besonderen Stand stellen die Schriftgelehrten dar. Das Wort *grammateus* bezeichnet in der profanen wie auch in der biblischen Gräzität den Schreiber, aber auch den beamteten, hochgestellten Sekretär (2 Sam 8, 15; 20, 23; 1 Kön 4, 3; Esra 7, 12–36), nach dem Babylonischen Exil den gelehrten Kenner und Lehrer der Tora (Dan 12, 3; Esra 7, 6. 11; Neh 8, 7; Sir 28, 13–26; 38, 24; 1 Makk 2, 42; 7, 12 f.). Im Judentum zur Zeit des Neuen Testaments bilden die Schriftgelehrten einen sehr angesehenen Stand (Mk 12, 38; Mt 23, 6 f.). Nach abgeschlossenem Studium bei einem Lehrer wurden die Schüler durch Ordination mittels Handauflegung in jene Gemeinschaft aufgenommen. Handauflegung bedeutet die Weitergabe des Geistes und der Kraft an den Jüngeren. Die Schriftgelehrten waren nicht nur Kenner und Lehrer der Schrift, sondern auch der Überlieferung der Väter zu ihrer Auslegung (Mt 15, 2). So wirkten sie auch als Richter wie als Berater (Mt 2, 4). Sie traten an die Stelle der Propheten, die verstummt waren. Als Lehrer der Tora (Mt 5, 20; 7, 28; 11, 25; 23, 13) mochten sie Jesus wohl ein gewisses Interesse zuwenden (Mt 8, 19; 22. 35; Lk 10, 25). Meist aber standen sie im Gegensatz zu Jesus (Mt 9, 3; 12, 38; 15, 1; 16, 21; Mk 2, 16; 3, 22; Lk 6, 7; 11, 53). So wirkten sie auch im Prozeß gegen Jesus als Mitglieder des Synedriums mit (Mk 14, 1. 43. 53; 15, 1. 31). In der Apostelgeschichte (4, 5; 6, 12; 23, 9) sind sie meist Gegner der Jüngergemeinde.

Die Schriftgelehrten werden getadelt wegen ihrer Unwahrhaftigkeit und Härte. Jesu Vorwürfe gegen die Gesetzeslehrer tadeln ihre Kasuistik, mit der sie das Gesetz umgehen und auflösen (Mt 5, 17–48; Mk 7, 9). Sie selber tun nicht, was sie in ihrer Lehre fordern (Lk 11, 46). Angesichts des Kreuzes Christi versagt jüdische Schriftgelehrsamkeit (1 Kor 1, 19 f.): „Es steht ja geschrieben: Vernichten werde ich die Weisheit der Weisen und die Einsicht der Einsichtigen werde ich verwerfen (Jes 33, 18). Wo ist ein Weiser? Wo ein Schriftgelehrter? Wo ein Wortfechter dieser Welt? Hat nicht Gott die Weisheit der Welt zur Torheit gemacht?"

4. Sadduzäer

Sehr viel weniger als die Pharisäer und wohl nicht ihrer Bedeutung gemäß treten im Neuen Testament die Sadduzäer auf. Sie tragen ihren Namen nach dem Aaroniden Sadok, dem von Salomo bestellten Oberpriester in Jerusalem (1 Kön 2, 35). Danach stellt die Familie der Sadokiden seit der Zeit der Hasmonäer, etwa 200 v. Chr., den Hohenpriester am Tempel zu Jerusalem (1 Chr 5, 29–34; Sir 50, 1–21; 51, 12 f.). Sie waren darum von maßgeblicher Bedeutung. Die Gemeinde von Qumran unterstand den hochgeachteten sadokidischen Priestern (1 QS 5, 2. 9; 1 QSb 3, 22 f.; Damaskusschr. 4, 2; 6, 1). Die dogmatische Anschauung und Lehre der Sadduzäer gründete in der Vorstellung von einem der Welt und den Menschen fernen Gott. Ihre Eschatologie war innerweltlich bestimmt, aber auch bezogen auf die Schöpfung als Gesamtheit. Sie lehnen den damals sich festigenden Glauben von der Auferstehung der Toten ab. Als Quelle des Glaubens und der Lehre achteten sie die Schrift der Bibel; sie lehnten die von den Pharisäern mitbenutzte Tradition ab, standen aber auch im Gegensatz zum immer mächtiger werdenden Hellenismus.

Im Neuen Testament treten die Sadduzäer auf als Leugner der Auferstehung; so Mk 12, 18–27 (u. Par.), wo sie die Auferstehungshoffnung mit dem konstruierten Fall einer siebenmaligen Schwagerehe als unsinnig erweisen wollen. Sie fragen, welchem der Schwager die Frau bei der Auferstehung zugehören wird. Jesus antwortet: „Gott ist nicht Gott der Toten, sondern der Lebenden. Ihr irret sehr." Zur innerjüdischen Auseinandersetzung trägt Mt 22, 34 bei, wenn angefügt ist, daß die Pharisäer sich über die Beschämung der Sadduzäer freuen. Ebenso ist traditionell jüdische Auseinandersetzung von Pharisäern und Sadduzäern Mt 3, 7; 16, 1. 11 f.; Apg 4, 1 f.; 5, 17; 23, 6. 8 wiederholt, daß die Sadduzäer die Auferstehung leugnen. Überdies ist Apg 4, 1 f.; 5, 17 zutreffend gesagt, daß die Sadduzäer als Partei des Hohenpriesters im Tempel Lehre wie Ordnung bestimmen und maßgeblicher Teil im Synedrium sind.

5. Zeloten

Die Anfänge des Zelotentums liegen wohl im Dunkeln. Sie nennen sich „Eiferer" (für Gott Num 25, 11; Ps 69, 10; für das Gesetz

1 Makk 2, 54. 58). Der Zelotismus wurde politisch tätig im Gegensatz gegen die Fremdherrschaft der Römer, was in schweren Kriegen und Katastrophen endete. Wie Jesus selbst jeden politischen Messianismus ablehnte (Mt 4, 8–10; Mk 12, 17; Joh 6, 15), standen auch seine Jünger zum Zelotismus im Gegensatz. Ein Mitglied des Jüngerkreises, der Apostel Simon, hatte der zelotischen Bewegung angehört (Lk 6, 15; Apg 1, 13). Paulus war nach seinen eigenen Worten „Eiferer für die Überlieferung der Väter" gewesen (Gal 1, 14; Phil 3, 6; Apg 22, 3). Nun ist er Eiferer Gottes (2 Kor 11, 2). Die Juden „eiferten" gegen Evangelium und christliche Mission (Apg 17, 5). In diesem Sinn heißen dann die jüdisch-christlichen Gesetzeseiferer in Jerusalem „Zeloten" (1 Kor 14, 12; Tit 2, 14; 1 Petr 3, 13).

IV. GLAUBEN UND LEHRE

Das Thema „Israel im Neuen Testament" soll endlich als Frage nach Werten und Haltungen gestellt sein. Zuerst wird dabei die Entscheidung gegenüber der Person Jesu darzustellen sein. Wo bilden weiterhin Altes Testament und jüdische Geistigkeit Voraussetzungen, Ursprünge und Grundlagen von Glauben und Leben im Neuen Testament und danach in Kirche und christlicher Welt? Nahezu überall im Neuen Testament kann man irgendwie – nach Form und Sache – alttestamentliche Voraussetzungen erkennen. Sie sollen dargestellt werden, damit der Reichtum des Erbes nicht vergessen sei. Als solche Sachfragen seien als entscheidend behandelt die Gotteslehre, woran sich der Begriff der Schöpfung anschließen soll. Für Altes und Neues Testament wesentlich ist sodann „Heilige Schrift" als immer neuer geistiger Ursprung. Es sollen sodann behandelt werden die Fragen des Ethos, nämlich Glaube, Liebe, Gesetz. Sodann sind darzustellen Gemeinde und Kirche, dabei deren Ämter und Kult wie Sakramente. Endlich werden die Vorstellungen und Erwartungen der Vollendung zu erörtern sein.

1. Jesus Christus

Zwischen Judentum und Christentum bleibt die Frage Jesu (Mk 8, 27): „Wer, sagen die Leute, daß ich sei?" Heutiges Judentum anerkennt Jesus als großen Juden und als Bruder. Christentum aber bekennt Jesus als den Messias-Christus.

Person, Amt und Werk Jesu werden aber mit einer Fülle alttestamentlich jüdischer Begriffe beschrieben.

Der Name Jesus ist gräzisierte Form des jüdischen Namens Jehoschua = Josua und bedeutet: Jahwe ist Heil (Mt 1, 21). Der Name Jesus bekennt also den Gott Israels. Jesus wurde wohl mit dem eigentlich jüdischen Namen angesprochen. Jesus war der Sohn einer jüdischen Familie aus Nazareth. Sein Vater Josef wird in den Kindheitsgeschichten genannt (Mt 1, 16. 18; Lk 1, 27; 2, 4. 33. 48). Jesus ist des Zimmermanns Sohn (Mt 13, 55). Maria, die Mutter Jesu, war Jüdin (Mt 1, 18; Mk 6, 3; Lk 1, 26). Jesus erscheint als Glied einer

jüdischen Familie mit Brüdern und Schwestern (Mk 3, 31). Es gibt
jedoch eine Überlieferung, wonach Josef nicht wirklich, sondern
allenfalls rechtlich Vater Jesu, Jesus jedoch Schöpfung des Geistes
Gottes war (Mt 1, 20; Lk 1, 35). Den Sinn dessen wird Paulus
Röm 5, 14–19 aussprechen, da er sagt, daß Jesus als der neue
Adam neuer Anfang, „neue Schöpfung" Gottes ist (2 Kor 5, 17;
Gal 6, 15).

1.1. Jesus, Lehrer und Wundertäter

Busse, U.: Die Wunder des Propheten Jesus. Die Rezeption, Komposi-
tion und Interpretation der Wundertradition im Evangelium des Lukas
(FzB 24). 1977. *Dupont, J. (éd.):* Jésus aux origines de la Christologie
(BEphThLov 40). 1975. *Ettmayer, L.:* Der theologische Ort Israels in der
Botschaft Jesu. Diss. 1979. *Harnisch, W. H.:* Gleichnisse Jesu. Position der
Auslegung von Adolf Jülicher bis zur Formgeschichte (WdF 366). 1982.
Ders.: Die neutestamentliche Gleichnisforschung im Horizont von Her-
meneutik und Literaturwissenschaft (WdF 575). 1982. *Heiligenthal, R.:*
Werke als Zeichen. Untersuchungen zur Bedeutung der menschlichen
Taten im Frühjudentum, Neuen Testament und Frühchristentum. Diss.
Heidelberg 1981. *Hempel, J.:* Heilung als Symbol und Wirklichkeit im bi-
blischen Schrifttum. 2. Aufl. 1965. *Leroy, H.:* Jesus. Überlieferung und Deu-
tung (EdF 95). 1978. *Müller, K. H. (Hrsg.):* Die Aktion Jesu und die Reak-
tion der Kirche. 1972. *Riches, J.:* Jesus and the Transformation of Judaism.
1980. *Riesner, R.:* Jesus als Lehrer. Eine Untersuchung zum Ursprung der
Evangelien-Überlieferung (WUNT 2,7). 2. Aufl. 1984. *Strecker, G.
(Hrsg.):* Jesus Christus in Historie und Theologie (FS H. Conzelmann).
1975. *Suhl, A.:* Die Wunder Jesu. Ereignis und Überlieferung. 1968. *Ders.:*
Der Wunderbegriff im Neuen Testament (WdF 295). 1980. *Theißen, G.:*
Urchristliche Wundergeschichte (StNT 8). 1974. *Tiede, D. L. J.:* The
Charismatic Figure as Miracle Worker. 2. Aufl. 1970. *Weiser, A.:* Was die
Bibel Wunder nennt. 4. Aufl. 1980 . *Wenisch, B.:* Geschichten oder Ge-
schichte? Theologie des Wunders. 1981. – *Carrez, M. (e. au., éd.):* De la
Tôrah au Messie. Études de l'exégèse et d'hermeneutique biblique (Pour H.
Cazelles). 1981. *Volken, L.:* Jesus der Jude und das Jüdische im Christen-
tum. 1983.

In den Evangelien erscheint Jesus als Lehrer und als Wundertäter.
Da Jesus von Jüngern begleitet lehrte, war er den Rabbinen in Israel
vergleichbar, die in der Öffentlichkeit, in Lehrhäusern und Synagogen lehrten. Man wendet sich an Jesus mit der Bitte um Entscheidung von Streitfragen, wie man an einen angesehenen Rabbi sich
wenden mag; so mit der Frage nach dem wichtigsten Gebot (Mk

10, 17), in Fragen der Ehescheidung (Mk 10, 2–9), der Auferstehung (Mk 12, 18–27) oder auch in einem Erbstreit (Lk 12, 13 f.). Wie ein Rabbi übt Jesus in der Synagoge die Erklärung der Schrift (Mk 1, 39; Lk 4, 16). Jesus nimmt von den Jüngern die Anrede Rabbi an (Mk 9, 5; 11, 21; Joh 1, 38 u. ö.) wie auch vom Volk (Joh 6, 25). Jesus selbst spricht von seinem Lehrtum als wichtiger Aufgabe (Mk 1, 38 f.; 14, 14). Jesus bedient sich der auch von den Rabbinen benützten Lehrform der Sprüche und Gleichnisse, wie er auch Seligpreisungen und Weherufe ausspricht (Mt 5, 2–11; Lk 6, 20–26). Jesus setzt sich vom Lehrtum der Rabbinen ab, indem er ein einziges, ausschließliches Lehrtum beansprucht (Mt 5, 21–48). In der Jüngergemeinde gibt es nur den einen Lehrer Jesus (Mt 23, 8–10). Dieser Spruch mag bereits die Entstehung von Titeln in der späteren Jüngergemeinde voraussetzen. Völlig neu, ja undenkbar war es für Israel, daß Frauen als begleitende Jüngerinnen Jesus folgten (Lk 8, 2 f.).

An Jesus wurde auch der Titel Prophet herangebracht. Jesus bezeichnete Johannes den Täufer als letzten Propheten vor dem Messias (Mt 11, 9 f.). Das Volk anerkennt Jesus als Propheten (Mt 21, 46; Lk 7, 16). So werden von Jesus Zeichen gefordert, wie alttestamentliche Propheten solche wirkten (Mk 8, 11 f.; Lk 11, 29). Der Evangelist freilich weiß, daß Jesus mehr ist; er ist der messianische Herr (Mt 21, 4 f.). Dem entspricht es, wenn Jesus bei Johannes (6, 14; 7, 40) heißt: „in Wahrheit der Prophet, der in die Welt kommen soll." Die erste Predigt der Kirche verkündet Jesus als den erwarteten Propheten (Apg 3, 22 f.). Jesus ist jedoch auch hier mehr als Prophet; er ist der Sohn Gottes (Apg 9, 20; 13, 33). Gott hat einst mit den Vätern durch die Propheten gesprochen, jetzt am Ende der Tage mit uns durch den Sohn (Hebr 1, 1 f.).

Das Neue Testament stellt Mose und Christus einander gegenüber in der Weise, daß Jesus als der neue Mose den früheren weit übertrifft. In der Bergpredigt gibt Jesus die neue Tora, indem er mit ganz anderer Autorität als Mose spricht: „Den Alten ist gesagt worden . . . Ich aber sage euch" (Mt 5, 21–48). Mose hat das Gesetz gegeben, Christus die Gnade und Wahrheit geoffenbart (Joh 1, 17). Christus übertrifft die von Mose gewirkten Wunder des Trankes aus dem Felsen und des Manna. Christus spendet das lebendige Wasser (Joh 4, 14) und ist das Brot des Lebens selbst (Joh 6, 31–35). Die beiden Wunder des Mose werden jetzt erfüllt in Taufe und Herrenmahl (1 Kor 10, 1–4). Mose war Diener im Hause Gottes. „Christus ist der Herr über das Haus" (Hebr 3, 2–6). Ein weithin nachwirkender Vergleich reiht die Kreuzigung Jesu den Morden an den Propheten ein (Lk 13, 34; s. IV. 1. 3. 2.).

Jesus ist in den Evangelien in vielen „Machttaten" als Wundertäter geschildert. Wie weithin in der antiken Welt, so gibt es auch in Israel kaum kritisch bedachten Wunderglauben. Die Schilderung der Wunder Jesu läßt verbreitete Motivik erkennen. Dabei muß der biblische Wunderbegriff verstanden werden. Gott ist als der Schöpfer der Urgrund der Welt und überall ist er am Werk. Der Mensch erfährt und bestaunt diese Wunder überall (Ps 104; 136, 4–9; 139, 14). Er erwartet das übergroße, alles umfassende eschatologische Wunder der heilen Welt (Jes 65, 17–25). Jesus und seine Jüngern haben teil an der Anschauung ihrer Zeit und am Glauben ihres Volkes. Es gibt Wunder. Wunder mögen auch außerhalb der Jüngergemeinde geschehen (Mt 7, 22 f.; Mk 13, 22). Doch äußern die Evangelien Vorbehalte. Die Wunder, die Jesus wirkt, werden dem Glauben geschenkt (Mk 5, 34; 9, 23). Der Unglaube kann nichts empfangen (Mk 6, 5). Die Wunder sind nicht Zauber und Magie, die geschehen, auch wenn der Empfänger es nicht will. Jesus verweigert dem Unglauben Mirakel. Es gibt nur das Wort (Lk 11, 20). Die Heilungswunder Jesu sind Teil seines messianischen Werkes. „Er hat unsere Gebrechen auf sich genommen und unsere Krankheiten getragen" (Jes 53, 4 in Mt 8, 17). So gehören die Wunder zum Evangelium (Jes 35, 5 f.; 61, 1 in Mt 11, 4 f.). Wunder werden als möglich erwartet. Sie finden darum Zuschauer und Glaubende (Mk 1, 32–34; 3, 7–12; 6, 55 f.).

Es ist doch wohl ein Vorbehalt, wenn Paulus nie von den Wundern Jesu als Erweis von dessen Sendung spricht. Da Apostel „Zeichen, Wunder und Machttaten" wirken (2 Kor 12, 12), sind diese ja doch auch nichts völlig Außerordentliches. Paulus selbst hat den gekreuzigten Christus zu verkünden, also die äußerste Schwachheit Gottes (1 Kor 1, 23–25).

Im Johannes-Evangelium sind die Wunder gegenüber der Synopse gesteigert. Die Wandlung des Wassers in Wein ist ein absolutes Naturwunder (Joh 2, 1–11). Der Lahme am Teich liegt schon seit 38 Jahren krank (5, 19). Der geheilte Blinde war blind geboren (9, 1–38). Lazarus ist seit vier Tagen im Grabe (11, 1–44). Das Evangelium hat die Wunder vielleicht einer Quelle entnommen, die die Wunder zählte (2, 11; 4, 54). Die sichtbaren Wunder müssen als Offenbarung tieferer Wahrheit und Wirklichkeit verstanden werden. Die Brotvermehrung bedeutet: Christus ist und gibt das Brot des Lebens (6, 27. 35); die Blindenheilung: Er ist das Licht der Welt

(9, 5); die Erweckung des Lazarus: Er ist die Auferstehung und das
Leben (11, 25). Glaube allein aufgrund von Wundern wäre nicht
echt. Jesus weist darum die Forderung von Zeichen und Wundern
ab (2, 18; 4, 48; 6, 30). Der Glaube kann überhaupt auf Wunder ver-
zichten. Die Wunderberichte werden relativiert durch das Wort
Jesu: „Selig sind, die nicht sehen und doch glauben" (20, 29).

1.2. Hoheitstitel Jesu aus jüdischer Überlieferung

Becker, J.: Messiaserwartung im Alten Testament (SBS 83). 1977. *Berger, K.:* Die königlichen Messiastraditionen des Neuen Testaments, in:
NTS 20, 1973/74, 1–45. *Ders.:* Zum Problem der Messianität Jesu, in:
ZThK 71, 1974, 1–30. *Blevins, J. L.:* The Messianic Secret in Markan Research 1901–1976. 1981. *Burger, Ch.:* Jesus als Davidssohn (FRLANT 98).
1970. *Colpe, C.:* Neuere Untersuchungen zum Menschensohnproblem:
Theol. Revue 77, 1981, 353–372. *Coppens, J.:* Le Messianisme et sa relève
prophétique. Les anticipations vétérotestamentaires. Leur accomplisse-
ment en Jésus (BiblEphTheolLov 38). 1974. *Ders.:* Le fils d'homme néo-
testamentaire (BiblEphTheolLov 55). 1981. *Ders.:* Le fils d'homme vétéro- et
intertestamentaire (BiblEphTheolLov 61). 1983. *Cullmann, O.:* Die Christologie des Neuen Testaments. 5. Aufl. 1973. *Fuller, B. H.:* The Forma-
tion of New Testament Christology. 1965. *Gese, H.:* Die Weisheit, der
Menschensohn und die Ursprünge der Christologie als consequente Entfaltung der biblischen Theologie, in: Svensk exegetisk aarbok 44, 1979,
77–114. *Grélot, P.:* Les poèmes du serviteur. De la lecture critique à la lecture hermeneutique (Lectio divina 103). 1981. *Hahn, F.:* Christologische
Hoheitstitel. Ihre Geschichte im frühen Christentum (FRLANT 83).
4. Aufl. 1974. *Hempel, V.:* Menschensohn und historischer Jesus. Diss.
1983. *Hengel, M.:* Der Sohn Gottes. Die Entstehung der Christologie in
der jüdisch-hellenistischen Religionsgeschichte. 2. Aufl. 1977. *Kellermann, U.:* Messias und Gesetz. Grundlinien einer alttestamentlichen Heils-
erwartung. Eine traditionsgeschichtliche Einführung (BSt 61). 1971.
Kramer, W.: Kyrios, Christos, Gottessohn. Untersuchungen zu Gebrauch
und Bedeutung der christologischen Hoheitstitel bei Paulus und in der vor-
paulinischen Gemeinde (FRLANT 44). 1963. *Mowinkel, S.:* He that Co-
meth. The Messianic Concept in the Old Testament and later Judaism.
2. Aufl. 1959. *Neugebauer, F.:* Jesus und der Menschensohn. Ein Beitrag
zur Wahrheitsfindung im Bereich der Evangelien (Arbeiten z. Theol. 1/50).
1972. *Pokorny, P.:* Der Gottessohn. Literarische Übersicht und Fragestel-
lung (TheolSt 109). 1971. *Schnackenburg, R. – Pesch, R. (Hrsg.):* Jesus und
der Menschensohn (FS A. Vögtle). 1975. *Schubert, K. (Hrsg.):* Vom Messias zum Christus. 1964. *Tödt, H. E.:* Der Menschensohn in der synoptischen Überlieferung. 1963. *Wrede, W.:* Das Messiasgeheimnis im Evange-

lium. 3. Aufl. 1963. – *Glöckner, R.:* Neutestamentliche Wundergeschichten und das Lob der Wundertaten Gottes in den Psalmen (Walber Studien der Albertus Magnus Akademie. Theol. Reihe 13). 1983.

Im Neuen Testament trägt Jesus Hoheitstitel, die seine Bedeutung und Würde aussprechen; so die Titel Davidssohn, Messias, Menschensohn, Sohn Gottes; dann weiter Heiland, Herr. Wenigstens die ersten vier Titel leiten sich wesentlich aus dem Alten Testament und Israel her.

1.2.1. *Davidssohn*

Vielleicht der früheste Würdename Jesu ist „Sohn Davids". Israel erwartete den Messias als Sohn Davids nach der prophetischen Verheißung 2 Sam 7, 16: „Dein Haus und dein Königtum sollen immerdar vor mir Bestand haben." Die Verheißung wird im Alten Testament immer wieder aufgenommen (Ps 18, 51; 89, 4 f.; Jes 11, 1; Jer 23, 5). Zur Zeit des Neuen Testamentes erwarteten messianische und nationale Hoffnungen ein neues Königtum Davids; so PsSal 17, 5 u. 23: „Du erwähltest David zu dem König in Israel seines Stammes wegen; nie wird vor dir sein Königtum enden." Die Gemeinde von Qumran erwartet einen königlichen Messias als Davidssohn und einen priesterlichen Messias als Aaronssohn. Das dortige Florilegium (4 Qflor 1, 7–11) führt auch 2 Sam 7, 11–14 an. In den synoptischen Evangelien wird Jesus oft als Sohn Davids begrüßt (Mk 10, 47 und zunehmend Mt 9, 27; 12, 23; 15, 22; 20, 30 f.; 21, 9. 15; 22, 42–45). Diese Rufe nehmen schwerlich Bezug auf die Überlieferung der davididischen Genealogie Jesu, sondern wollen einfachhin den Glauben an die messianische Würde Jesu bekunden. Die Frage der Davidssohnschaft wird Mk 12, 35–37 von Jesus selbst zur Sprache gebracht. Das Gespräch bleibt offen, indem Jesus die Davidssohnschaft überbietet durch die Berufung auf Ps 110, 1, wo David den Messias Herr nennt. Also ist er mehr als sein Sohn. (Es wird sich die Frage stellen, ob hier Schrifttheologie der Gemeinde spricht.) In einem Streitgespräch mit „den Juden" Joh 7, 41 f. wird die Meinung abgewiesen, Jesus, der aus Nazareth kommt, könne nicht der Messias sein, da dieser doch aus Davids Geschlecht stammen und aus Bethlehem kommen müsse. Die Juden berufen sich hierfür auf die Schrift. Das Evangelium kennt hier wohl die Überlieferung von der Davidssohnschaft Jesu und seiner Geburt in Bethlehem, scheint sie aber nicht für entscheidend wichtig zu halten. Läßt das Gespräch Joh 7, 41 f. einen Streit zwischen Juden und Christen erkennen? Paulus gebraucht Röm 1, 3 f. die Überlieferung von der Davidssohnschaft Jesu. Diese wird aber überhöht durch die Einsetzung in die Sohnschaft Gottes. Die Glaubenslehre wird formelhaft 2 Tim 2, 8: „Gedenke an Jesus Christus, auferweckt von den Toten, aus Davids Samen gemäß meinem Evangelium." Die Kindheitsevangelien (Mt 1, 5 f.; Lk 3, 31) erbringen den genealogischen Nachweis der Abstammung von David und berichten von der Geburt Jesu in der Davidsstadt Bethlehem (Mt 2, 1; Lk 2, 6). Apg 2, 25–36 sind Auferstehung und Erhöhung Jesu als Inthronisation des königlichen Davidssohns verstanden. Apk 3, 7 führt Christus den Schlüssel Davids, wie er aus der Wurzel Davids stammt (Apk 5, 5).

1.2.2. Messias

Der wichtigste Hoheitstitel Jesu wurde der Name Messias = Christus. Der Name bedeutet „Der Gesalbte". Gesalbt wurden Könige (1 Sam 9, 16; 10, 1; 16, 12; Ps 23, 5; 44, 8), Priester (Ex 30, 30), wohl auch Propheten (1 Kön 19, 16; Jes 61, 1). Der Sinn der äußeren Salbung ist die innere Durchdringung mit Heiligung und Besiegelung für die Sendung. Die LXX übersetzen Maschiach mit Christus. Die Hoffnung Israels, daß am Ende der Zeiten Jahwes herrliches Reich kommen wird, reicht in früheste Geschichte zurück (Ex 15, 18; Ps 145, 11–13). Im Gericht über die Völker (Jes 2, 9–22) wie über Israel (Am 5, 18–20) wird wenigstens ein Rest Israels das Heil erlangen (Jes 1, 9; 10, 22). In der Erinnerung an Davids Königtum wird ein endzeitlicher König aus Davids Geschlecht erwartet, dessen Königtum so für immer bestehen wird (2 Sam 7, 14; Jes 11, 1; Mi 5, 2–4). Der erwartete eschatologische König heißt noch nicht Messias. Er trägt aber diesen Titel im 1. Jh. v. Chr. in den PsSal 17, 36; sodann SyrBar 29, 3; 4 Esra 5 (7) 28 f. Zur Zeit Jesu war die messianische Erwartung aufs höchste gestiegen. Die Gemeinde von Qumran erwartet (wie schon Zach 4, 11–14) einen priesterlichen und einen königlichen Messias (1 QS 9, 11; 1 QSa 2, 12–21; 4 Qtest 12; Damaskusschr. 9, 10 f.; 20, 1). Das Neue Testament behauptet die Erfüllung der Erwartung, indem es Jesus den Titel Messias zuspricht (Mk 1, 1 u. ö.). Gleichwohl ist es der Exegese fraglich, ob Jesus selbst den Messiastitel geführt hat. In der Spruchquelle Q erscheint der Titel Christus nicht. Den Dämo-

nen, die Jesus als Christus erkennen, verbietet Jesus, dies kundzu-
machen (Mk 3, 12; Lk 4, 41). Auf die Frage der Jünger des Täufers
Johannes an Jesus, ob er der Christus sei, gibt Jesus eine verhül-
lende Antwort (Mt 11, 2–6). Bei den Jüngern freilich ruft Jesus das
Bekenntnis hervor, daß er der Messias sei, verbietet aber, dies zu
proklamieren (Mk 8, 27–30). Synoptische Texte, in denen Jesus
sich selbst Messias nennt (Mt 23, 10; Mk 9, 41), sind in ihrer Ur-
sprünglichkeit fraglich. Die Messianität Jesu bleibt im Evangelium
verborgen. Doch muß die Kreuzesüberschrift „König der Juden"
(Mk 15, 26) messianisch verstanden werden. Der Befund wird von
der heutigen Exegese weithin so erklärt: Die intensive Hoffnung
erwartete vor allem einen politischen Messias, der die Befreiung
von der römischen Fremdherrschaft bringen sollte; so die PsSal
17, 23–33: „Umgürte den Davidssohn mit Kraft, daß er die Herrscher des Frevels vernichte . . . Mach rein Jerusalem von Heiden."
Solchen Erwartungen konnte das Berufsbewußtsein Jesu nicht entsprechen. Darum hat er den Titel Messias, wie es scheint, nicht benützt, jedenfalls nicht beansprucht. Die Gemeinde Jesu erkannte
die Messianität erst in der Auferstehung als offenbar, wie dies das älteste Messiasbekenntnis in der Predigt des Petrus ausspricht (Apg
2, 36): „Gott hat ihn zum Herrn und Messias gemacht." Die Predigt
der Apostel beweist Jesus als den Christus und führt so die Trennung von Israel und Kirche herauf (Apg 17, 3; 18, 5). Paulus nennt
mit völliger Sicherheit Jesus den Christus. In der Formel Christus
Jesus (so Röm 2, 16 u. ö.) ist Christus noch Berufsbezeichnung, in
der häufigeren Formel Jesus Christus (so Röm 1, 6 u. ö.) ist Christus Eigenname; oft steht auch Christus allein (so Röm 5, 6 u. ö.).
In drei Jahrhunderten von den Makkabäern 168 v. Chr. bis Bar
Kochba 135 n. Chr. zählt man nicht weniger als 62 Aufstände und
Rebellionen, die einen politisch-apokalyptischen Messianismus
ausriefen. Seit nunmehr mehr als 2000 Jahren ist Israel von messia-
nischer Hoffnung bewegt, sei es, daß ein persönlicher Messias erwartet wird, sei es, daß die Hoffnung auf eine messianische Erlösung der Menschheit und der Welt festgehalten wird. So ist die
Frage: War Jesus als Messias zu erkennen? (IV. 1. 4. 1.).

1.2.3. Menschensohn

Ein in den Evangelien sehr oft gebrauchter Titel Jesu ist der des
Menschensohnes. Das aramäische Wort bedeutet einfachhin

„Mensch" (Ps 8, 5). In den Evangelien weist der Titel Menschensohn zurück nach Dan 7. Dem Meer als der chaotisch widergöttlichen Macht sind vier Ungetüme entstiegen, die die vier bis dahin bestandenen gewaltsamen Weltreiche bedeuten. Nachdem sie vergangen und gerichtet sind, tritt vor Gottes himmlischen Thron der Menschensohn (Dan 7, 13 f.). Er stellt das endzeitliche Reich Gottes dar, dessen Sinnbild reine, vollendete Menschlichkeit ist. Der Menschensohn bedeutet wohl zunächst das Volk Israel, das „Volk der Heiligen" (Dan 7, 21 f. 25). In der Zeit des Neuen Testamentes erwartete jüdische Apokalyptik (ÄthHen 37–71; 4 Esra 11 [13], 18) den Menschensohn als Richter und Vollender der Endzeit. Aus dieser geistigen Welt wird der Gebrauch des Titels Menschensohn im Neuen Testament erklärt. Jesus trägt ihn als der Messias, als der Leidende, als der Erhöhte. Auf Dan 7, 13 Bezug nehmend, bezeichnet sich Jesus als Menschensohn in der Parusierede Mt 24, 30; 25, 31 f.; 26, 64 (u. Par.). Zunehmend erwägt die Exegese als weitere Möglichkeit, ob der Titel Menschensohn – etwa neben Dan 7 – im Buch Ezechiel einen Grund hat. Der Prophet Ezechiel wird 87mal Menschensohn genannt. Als solcher ist er Lehrer und Hirt Israels (Ez 34, 23–31). Er tut seinen Dienst auch in Niedrigkeit und Leiden (Ez 12, 6–20; 24, 16–27). In der Spruchquelle Q war Menschensohn christologischer Titel Jesu, wobei dieses Wort den zum Gericht Kommenden und schon Gekommenen bezeichnet (II. 1.). Die Verwendung des Titels nimmt in den Evangelien zu. In seiner Häufigkeit ist er wohl nur zu erklären, wenn auch Jesus selber ihn benutzt hat, wobei er unter Umständen vom Menschensohn als von einem anderen sprach, der nach ihm kommen wird. Hat Jesus mit dem Titel auch sein eigenes gültiges Bewußtsein ausgesprochen? Oder hat spätere Christologie diese Aussage vorgenommen? Der Titel wird außerhalb der Evangelien, insbesondere auch von Paulus nicht gebraucht, offenbar weil er der außerjüdischen Welt nicht verständlich war.

1.2.4. Sohn Gottes

Ein anderer im Neuen Testament wie sodann in der Kirche wichtiger Hoheitstitel Jesu ist Sohn, Sohn Gottes. Der Name und sein Inhalt werden zunächst vom Alten Testament und dem frühen Judentum her zu erklären sein. Das Wort Sohn bezeichnet hier nicht nur leibliche Abstammung, sondern Zugehörigkeit zu Gruppen und Gemeinschaften. Im Alten Testament wird die Beziehung zwischen Jahwe und Israel als Vater-Sohn-Verhältnis bezeichnet. „Also spricht Jahwe: Mein Sohn, mein Erstgeborener ist Israel" (Ex 4, 22; Jer 31, 9). Als Repräsentant Israels kann der König als Sohn Gottes bezeichnet werden. Zu ihm spricht Jahwe: „Mein Sohn bist du. Heute habe ich dich gezeugt" (Ps 2, 7). Die Inthronisation ist Adoption zur Sohnschaft. Dem König wird zugesagt: „Ich will ihm Vater sein und er soll mir Sohn sein" (2 Sam 7, 14; Ps 110, 4). Auch einzelne Israeliten werden Söhne und Töchter Jahwes genannt. Insbesondere können die Frommen Söhne Gottes heißen (Dtn 14, 1; 32, 5; Jes 43, 6; 45, 11; 63, 8; Ps 73, 15; Weish 9, 7; 12, 19. 21). Israel hat jedoch den Messias noch nicht mit dem Titel Sohn (Sohn Gottes) ausgezeichnet.

Im dargestellten weiten Sinn gebraucht auch Jesus das Wort von der Gottesherrschaft. Wenn Gott Vater ist (Mt 6, 9), sind alle Menschen Gottes Kinder; insbesondere werden so genannt Friedensstifter (Mt 5, 9) und die der Auferstehung Gewürdigten (Lk 20, 36). Das Wort ist aber im besonderen Sinn auch Hoheitstitel Jesu. Dabei ist zu unterscheiden zwischen Sohn und Sohn Gottes. In den Worten der Synopse spricht Jesus von sich als „Sohn", dies freilich im besonderen, ausschließlichen Sinn. Mk 12, 6 ist Jesus der eine Sohn. Mk 13, 32 sind miteinander genannt der Sohn und der Vater; Mt 22, 42–45 ist Jesus der Sohn und Herr Davids. „Der Vater erkennt diesen Sohn wie der Sohn den Vater" (Mt 11, 27). Die Evangelien berichten, daß sich der Vater in zwei Offenbarungen zum Messias Jesus als dem Sohn bekannte, bei der Taufe (Mk 1, 11) und bei der Verklärung (Mk 9, 7). Das Evangelium (Mt 2, 15) nennt Jesus den Sohn mit Hos 11, 1: „Aus Ägypten rief ich meinen Sohn." Der Gekreuzigte wird als Gottes Sohn erkannt und bekannt (Mk 15, 39). Im Johannes-Evangelium ist Gott nie der Vater der Jünger genannt, sondern Vater ausschließlich als Vater Jesu. Jesus ist der einzige, ewige Sohn (Joh 1, 18). Dies bezeugen von Anfang an Johannes der Täufer (Joh 1, 34) wie die Jünger (Joh 1, 49). Jesus selbst macht seine Gottessohnschaft kund (Joh 10, 36). Sie ist präexistentes Sein des Sohnes beim Vater (Joh 17, 5. 24) als innige personale Liebe von Vater und Sohn (Joh 3, 35; 5, 20; 14, 20). Alle Lehre macht den Vater Jesu kund (Joh 10, 18; 14, 20; 15, 15). Die Anerkennung dieser einen Vater- und Sohnschaft ist der Glaube (Joh 5, 18; 8, 54 f.; 11, 27; 20, 31).

In den Evangelien erkennen und bezeugen Dämonische Jesus als „Sohn Gottes" (Mk 3, 11; 5, 7). Nach der Stillung des Sturmes über

dem See wird im späteren Text Mt 14, 33 (anders noch Mk 6, 51)
Jesus als „Sohn Gottes" bekannt. Im Prozeß vor dem Synedrium
versteht, wenn nicht der fragende Hohepriester, so sicher später die
Gemeinde den Titel „Sohn des Hochgelobten" (Mk 14, 61) als ex-
klusives Bekenntnis. In nachösterlichen Zeugnissen, insbesondere
in der Predigt des Paulus, erscheint der Titel Jesu als „Sohn Gottes
(so Apg 13, 33; Röm 1, 3 f. 9; 8, 3 f.; Gal 1, 16; 4, 4 f.). Der Sohn ist
jetzt der Herr (1 Kor 1, 9; Hebr 1, 2 f.). Er wird als der Richter
offenbar werden (1 Thess 1, 10; 1 Kor 15, 28). Immer wieder sagt der
Schriftbeweis, daß sich Ps 110 erfüllt (Röm 8, 34; 1 Kor 15, 25; Eph
1, 10; 1 Petr 3, 22; Hebr 1, 3).

In der antiken Welt außerhalb der Bibel des Alten und Neuen
Testaments kannte die Mythologie Söhne der Götter. „Zeus ist der
Vater der Götter und Menschen." Herrscherkult wie andererseits
Gnosis entwickeln die Vorstellung. Es sei dahingestellt, ob diese
Umwelt biblische Formulierung mitbestimmt hat. Die Lehre von
der Gottessohnschaft Jesu bildete jedenfalls alsbald einen Gegen-
satz zwischen Synagoge und Kirche. Er wurde im Dogma der
Kirche immer mehr verdeutlicht und verfestigt.

1.2.5. Herr

Christus trägt auch den Titel Kyrios, Herr. Das Wort hat im
Neuen Testament seinen nächsten Ursprung in der griechischen
Übersetzung des Alten Testaments. Aus Scheu, den Namen Jahwes
auszusprechen, ersetzte man ihn bei der Lesung des hebräischen Al-
ten Testamentes durch Adonai (= Mein Herr). Die LXX gab dieses
Wort wieder mit Kyrios. Im ursprünglich griechischen Buch der
Weisheit, wie bei Philon und Josephus, bezeichnet Kyrios oft Gott.
In orientalischen Religionen wird Gott der Herr genannt, dann so
auch der göttlich verehrte Herrscher. Danach ließ sich Kaiser Domitian als „Unser Herr und Gott" anreden. Im Neuen Testament
heißt auch der Höhergestellte Herr (Mt 10, 24 f.; 18, 25–34;
Mk 12, 9; Apg 25, 26 Kaiser Nero). Nach dem Sprachgebrauch der
hellenistischen Synagoge wird Gott Kyrios genannt (Mt 6, 24;
9, 38; 11, 25). Dies ist auch der Name Gottes in zahlreichen Zitaten
aus dem Alten Testament (Mk 12, 29 f.; Röm 4, 8 u. ö.). In der An-
wendung auf Jesus wird der Titel verschiedene Gründe haben. Der
Lehrer Jesus wird mit der Anrede Herr geehrt (Lk 6, 46; 11, 1;
Joh 13, 13; auch Apg 11, 16; 1 Kor 7, 10). Im allgemeinen Sprach-

gebrauch der griechisch redenden Kirche ist der erhöhte Christus Herr genannt. Der urkirchliche, von Paulus übernommene Hymnus Phil 2, 6–11 feiert den erhöhten Christus als den Herrn. In dem alten Gebetsruf Maranatha (1 Kor 16, 22) wird daher (doch wohl) Christus als der Herr gerufen. Er ist der Herr als der wiederkommende Menschensohn (Mt 25, 31. 37). „Der Herr ist Jesus" (Röm 10, 9; 1 Kor 12, 3). Er ist Herr über Welt und Menschen (Röm 16, 9) wie über die Herren und Könige der Erde (Apk 17, 14). Er ist zumal der Herr der Kirche (Röm 14, 8; 1 Kor 16, 22). Als dieser verleiht er das Amt (2 Kor 10, 8) wie Charismen und Dienste (1 Kor 3, 5). Als Herr ist er Mittler zwischen Gott und der Kirche (1 Tim 2, 5). Er wird der Richter sein (1 Kor 11, 27. 32; 1 Thess 4, 16f.). Er ist Retter und Vollender (Phil 3, 20). – Folgenreich war, daß die Aussagen der LXX vom Kyrios Gott und unmittelbar vom Kyrios Christus verstanden werden konnten und wurden (so Ps 110, 1 in Mk 12, 36; Apg 2, 34; 1 Kor 15, 25; Eph 1, 20; Kol 3, 1; Hebr 1, 13).

1.3. Heilswerk Jesu

1.3.1. Geschichte des Kreuzes Jesu

Dormeyer, D.: Die Passion Jesu als Verhaltensmodell. Literarische und theologische Analyse der Traditions- und Redaktionsgeschichte der Markuspassion (NtlAbh 11). 1974. *Ders.:* Der Sinn des Leidens Jesu. Historisch-kritische und textpragmatische Analyse zur Markuspassion (SBS 96). 1979. *Friedrich, G.:* Die Verkündigung des Todes Jesu im Neuen Testament (BThSt 6). 1982. *Gubler, M. L.:* Die frühesten Deutungen des Todes Jesu. Eine motivgeschichtliche Darstellung aufgrund der neueren exegetischen Forschung (Orbis biblicus et orientalis 15). 1977. *Hengel, M.:* Mors turpissima crucis, in: J. Friedrich u. a. (Hrsg.), Rechtfertigung (FS E. Käsemann). 1976, 125–184. *Kertelge, K. (Hrsg.):* Der Tod Jesu im Neuen Testament (QuD 74). 1976. *Limbeck, M.:* Redaktion und Theologie des Passionsberichtes nach den Synoptikern (WdF 481). 1981. *Linnemann, E.:* Studien zur Passionsgeschichte (FRLANT 102). 1970. *Moltmann, J.:* Der gekreuzigte Gott. Das Kreuz Christi als Grund und Kritik christlicher Theologie. 3. Aufl. 1976. *Ruppert, L.:* Der leidende Gerechte. Eine motivgeschichtliche Untersuchung zum Alten Testament und zwischentestamentlichen Judentum (SBS 59). 1977. *Schenke, L.:* Der gekreuzigte Christus. Versuche einer literarkritischen und traditionsgeschichtlichen Bestimmung der vormarcinischen Passionsgeschichte (SBS 69). 1974. *Schneider, G.:* Verleugnung, Verspottung und Verhör Jesu nach Lukas 22,

54–71. Studien zur lukanischen Darstellung der Passion (StANT 22). 1969. *Ders.:* Die Passion Jesu nach den ältesten Evangelien (BiH 11). 1971. *Schürmann, H.:* Gottes Reich – Jesu Geschick. Jesu ureigener Tod im Lichte seiner Basileia-Verkündigung. 1983. *Strobel, A.:* Die Stunde der Wahrheit. Untersuchungen zum Strafverfahren gegen Jesus (WUNT 21). 1980. *Untergaßmaier, F. G.:* Kreuzweg und Kreuzigung. Ein Beitrag zur Frage nach der literarischen Kreuzestheologie (Pad. theol. Studien 10). 1980. *Viering, F. (Hrsg.):* Zur Bedeutung des Todes Jesu. Exegetische Beiträge. 1967. *Weder, H.:* Das Kreuz Jesu bei Paulus (FRLANT 125). 1981.

Zwischen Judentum und Christentum steht die schwere Frage der Schuld am Tode Jesu. Es ist zunächst eine historische Frage. Es scheint, daß geschichtliche und rechtsgeschichtliche Forschung die genauen Zuständigkeiten wie die tatsächlichen Verhältnisse hinsichtlich des Kreuzes Jesu nicht mehr zu erkennen vermögen. Es liegen nur urkirchliche Berichte vor. Hatten Christen hinreichend sichere Kenntnis von den Verhandlungen vor dem Synedrium? Es wird zu bedenken sein, daß die Berichte bei der Weitergabe wohl ergänzt und gedeutet wurden. Sicher ist, daß allein die römische Besatzung das Recht hatte, in einem Gerichtsverfahren ein Todesurteil zu fällen und dieses zu vollstrecken. So verurteilte der römische Statthalter Pontius Pilatus Jesus zum Tod am Kreuz. Zeitgenössische Geschichtsschreibung (Philon, Gesandtschaft 31, 209–305; Josephus, Altertümer 18, 35. 55–62. 85–89. 177; Jüd. Krieg 2, 169–177) berichtet, daß Pilatus als Prokurator von Judäa (26–36/37) durch Habgier, gewaltsame, judenfeindliche Amtsführung, Hinrichtungen ohne Gerichtsverfahren verhaßt war. Unruhen, die er provoziert hatte, unterdrückte er blutig (so auch Lk 13, 1). Vom zuständigen Legaten wurde er deshalb endlich abberufen und nach Rom beordert. So scheint es wohl möglich, daß Pilatus nicht allzu viele Bedenken hatte, einen Juden mehr zum Tod zu bringen.

Nach den Berichten der Evangelien sind Verurteilung und Hinrichtung Jesu innerhalb weniger Stunden erfolgt. Jedoch traten hierbei schon lange vorhandene Gegensätze auf. Sie deuten sich in den Berichten an. Im Verhör vor dem Synedrium kam zur Sprache Jesu Drohung gegen den Tempel (Mk 14, 58f.). Dies ist eine Erinnerung an die Kritik Jesu an Gesetz und Kult (IV. 6. 3.). Die Entscheidung gab – nach den Evangelien – der Anspruch Jesu, „der Messias, der Sohn des Hochgelobten zu sein" (Mk 14, 61–64). Messias-Ansprüche, wie sie eben aus jener Zeit berichtet werden, pflegte man sich selbst zu überlassen (IV. 1. 2. 2.). Galt aber der

Anspruch Jesu, der Menschensohn zur Rechten Gottes zu sein, als
Gotteslästerung, die nach jüdischem Gesetz des Todes schuldig
machte (Dtn 13,1–5)? So beschließt das Synedrium die Ausliefe-
rung an Pilatus als den handlungsmächtigen Vertreter Roms (Mk
15,1). Gegenüber Pilatus wird der Messias-Anspruch politisch gedeutet (Mk 15, 2), wie in der Tat jeder Jude, der im Volk als Prophet
oder Messias angesehen wurde, der römischen Behörde als politischer Aufrührer verdächtig war. Doch vor Untersuchung und
Spruch des Gerichtes fordert das von den Hohenpriestern aufge-
wiegelte Volk: „Kreuzige ihn!" (Mk 15,13 f.). Vom Volk Israel ist
danach das verhängnisvolle Wort vom Kreuz zuerst ausgesprochen.
Kreuzigung war jedenfalls römische, keinesfalls jüdische Todesstrafe, wie sie ja auch bei Jesus durch römische Soldaten vollzogen
wurde (Mk 15, 20). Die neutestamentlichen Berichte nennen dem-
gemäß die Verantwortung der römischen Verwaltung. Doch
scheint es, daß deren Schuld in der Überlieferung zunehmend zu-
rücktritt und die jüdische Schuld betont wird. Mt 27, 24 behauptet
Pilatus durch Wort und Gebärde seine Unschuld am Blut des Gerechten. Lk 23, 4–22 erklärt Pilatus Jesus für unschuldig, und er
will ihn freilassen. Auch Joh 18, 38; 19, 6. 12 bekundet der Römer
seine Überzeugung von der Unschuld Jesu. Jesus selbst (Joh 19, 11)
bezeichnet Pilatus als den weniger Schuldigen, die Juden als die
Hauptschuldigen. Danach wird im Neuen Testament eindringlich
die Schuld des jüdischen Volkes und seiner Führung dargestellt.
Schon Mk 3, 6 – wohl Schlußwort einer vormarkinischen Wunder-
sammlung (II 2) – beschließen die Pharisäer und die Herodianer,
„Jesus zu verderben". Vor Beginn des Prozesses haben Hohepriester und Schriftgelehrte beschlossen, Jesus „zu töten" (Mk 14,1).
Das Synedrium sucht nicht das Recht, sondern will die Vernichtung
des Angeklagten (Mk 14, 55). So beschuldigt das Synedrium Jesus
auch vor dem römischen Richter (Mk 15, 3). Dabei ruft alles Volk:
„Sein Blut komme über uns und unsere Kinder" (Mt 27, 25). Im Johannes-Evangelium (5, 16. 18) verfolgen die „Juden" Jesus von Anfang an, indem sie ihn „zu töten suchen" (II. 5.). In Worten Jesu
werden die Juden belastet. In den drei ausführlichen Leidensweissagungen (Mk 8, 31; 9, 31; 10, 33 u. Par.) wird gesagt, daß „der
Menschensohn von den Ältesten, Hohenpriestern und Schriftgelehrten verworfen und getötet werden muß". Die Weissagungen
werden in den Einzelheiten immer konkreter und deutlicher. Sie
sind formuliert in nachösterlicher Erinnerung. Eine Urform mag
am ehesten Lk 13, 32 f. gegeben sein, wo nur vom Leiden des Men-

schensohnes die Rede ist. Wenn aber Mk 8, 32 f. Petrus Jesus beiseite nimmt, um ihm Vorwürfe zu machen wegen der Voraussagung des Leidens, mag daraus ein Versuch Israels zu vernehmen sein, sich zu schützen und zu ent-schuldigen. Jesus antwortet darauf, daß dies nach Gottes Willen geschehen muß (Mk 8, 34). Also sind die Menschen entlastet. Am Kreuz betet Jesus für seine Gegner (Lk 23, 34a): „Vater, vergib ihnen, denn sie wissen nicht, was sie tun." Der Vers fehlt freilich zum Teil auch in ältesten Handschriften. Der Befund kann schwerlich so erklärt werden, daß die Worte später hinzugefügt worden wären. Viel wahrscheinlicher ist, daß sie von christlicher, judenfeindlicher Überlieferung getilgt wurden, weil sie unerträglich schienen.

Nach Ostern erhebt die Predigt der Kirche Anklage. Petrus sagt einmal (Apg 3, 17), daß die Juden in Unwissenheit gehandelt haben. Die Mitwirkung der Römer wird erwähnt (Apg 2, 23; 3, 13). Doch die Anklage sagt auch, ohne die Römer zu nennen (Apg 2, 36; 4, 10): „Ihr habt Jesus gekreuzigt." Stephanus beschuldigt Israel (Apg 7, 52): „Ihr seid die Verräter und Mörder des Messias geworden." Ebenso ist die Anklage des Paulus (1 Thess 2, 15): „Die Juden haben den Herrn Jesus getötet und die Propheten." (Es mag jedoch fraglich sein, ob der Satz ursprünglich paulinisch ist [II. 7.].)

In nachkanonischer Überlieferung verstärkt sich antijüdische Tendenz. Im Barnabas-Brief sind die Juden des Todes Jesu schuldig; so 5, 11: „Also kam der Sohn Gottes dazu ins Fleisch, damit er das Vollmaß der Sünde bei den Juden zum Abschluß bringe, die ihre Propheten in den Tod verfolgt hatten"; ähnlich 6, 7; 7, 5 (die Priester haben Jesus am Kreuz mit Essig getränkt); 8, 2. Im Petrus-Evangelium ist Pilatus völlig unschuldig, während die Juden um so mehr belastet werden. „Von den Juden aber wusch sich keiner die Hände, weder Herodes noch einer seiner Richter" (1, 1). Der König Herodes gibt den Befehl, Jesus zur Hinrichtung abzuführen (1, 2). Pilatus kann versichern: „Ich bin rein vom Blute des Sohnes; ihr habt solches beschlossen" (11, 46). Die Passions-Homilie des Meliton von Sardes (72–99) klagt über Israel, das seinen Messias grundlos getötet hat: „Gott ist getötet worden" (96). Hier begegnet zum ersten Mal der unheilvolle Vorwurf des Gottesmordes der Juden.

1.3.2. Theologische Deutung

Konnte Israel einen Gekreuzigten als Messias erkennen und anerkennen? Das Kreuz ist „den Juden ein Ärgernis, und den Heiden eine Torheit" (1 Kor 1, 23). Nach Dtn 21, 23 ist „jeder, der am Holze hängt, verflucht" (Gal 3, 13). Vielleicht antwortet Paulus direkt jüdischen Gegnern, die mit Dtn 21, 23 beweisen wollten, daß ein am Kreuze Gestorbener nicht der Messias sein könne, da er ja verflucht ist. Jedenfalls bekundet die kürzlich gefundene Tempelrolle (11 QTempel 64, 6–13), daß damaliges Judentum mit Dtn 21, 22 f. umging und auf die Hinrichtung von Gesetzesfrevlern bezog. Eine wesentliche Hilfe für eine Deutung bot das Alte Testament als Prophetie. In einer schon festen Glaubensformel sagt Paulus, daß Christus starb „gemäß den Schriften" (1 Kor 15, 3 f.). Eine Deutung des Kreuzes wurde gesucht und gefunden, wenn es als Erfüllung der Vorhersage des Leidens des Gerechten und des Heiligen verstanden wurde; so des Gottesknechtes von Jes 49–54 in Mt 8, 17; Mk 14, 27; Lk 22, 37; Apg 8, 32–34; des Gerechten von Ps 22 in Mt 27, 35. 46; Mk 15, 24. 34; Joh 19, 23 f.; von Ps 69, 22 in Mk 15, 36; von Ex 12, 46 und Sach 12, 10 in Joh 19, 36 f. So ergibt sich: „Das Lamm ist geschlachtet von Grundlegung der Welt an" (Apk 13, 8).

Die Synopse (Mk 10, 45) beschreibt die Todeshingabe Jesu als „Lösegeld für die Vielen". So bezeichnet jüdische Frömmigkeit (4 Makk 6, 29) das Martyrium als „Gegengabe der Gerechten für die Gottlosen", Paulus sodann als „Erlösung" (Röm 3, 24; 1 Kor 1, 30; Eph 1, 7; Hebr 9, 15). Verwandt ist die Vorstellung vom Loskauf, wobei der Heilstod der zu bezahlende Preis ist (1 Kor 6, 20; Gal 3, 13; 4, 5).

Das Heilswerk Christi wird weiter mit kultischer Begrifflichkeit beschrieben. Israels Kult übte viele Opferfeiern (Ex 12; Num 28, 3–10). Sie galten insbesondere der Sühne. Jede Schuld bedarf der Sühne. Auch den Tod der Märtyrer in der Makkabäer-Zeit verstand Israel als Sühnopfer für die Sünde des Volkes (2 Makk 7, 18. 37 f.; 4 Makk 6, 28 f.; 7, 8. 22). Die Gemeinde von Qumran weiß sich erwählt, „zu sühnen die Schuld der Übertretungen und die Tat der Sünde zum göttlichen Wohlgefallen am Land" (1 QS 9, 4). Aus dieser Glaubensüberzeugung deutet Paulus den Tod Christi als Sühnopfer (Röm 3, 25 f.; 5, 9), Bundesopfer (1 Kor 11, 24 f.) und Passaopfer (1 Kor 5, 7). Gott selbst vollzog das Opfer, da er seinen Sohn für alle dahingab (Röm 8, 32). So ist Christus die Versöhnung der Welt mit Gott (Röm 5, 10; 11, 15; 2 Kor 5, 18–20). „Ihn hat Gott als Sühnemal (Sühnopfer) durch den Glauben hingestellt in seinem Blut zum Erweis seiner Gerechtigkeit, da die vorher geschehenen Sünden unter der Langmut Gottes hingegangen waren zum Erweis seiner Gerechtigkeit in der jetzigen Zeit, auf daß er der sei, der gerecht ist und gerecht macht" (Röm 3, 25 f.). Paulus benützt wohl eine Formel, die er dann durch die Einführung des ihm sehr wichtigen Begriffes des Glaubens erweitert. So kann Paulus Gal 1, 4 sagen: „Jesus Christus gab sich hin für unsere Sünden"; und mit persönlicher Innigkeit Gal 2, 20: „Er gab sich hin für mich."

Der Glaube findet zuletzt, jenseits der Frage nach der historischen Schuld am Kreuz Jesu, die tiefste Antwort, daß Gottes Liebe selbst den Sohn für das Leben der Welt hingegeben hat (Joh 3,16; 1 Joh 4,10).

Das Römische Reich war ein Staat, der sich um das Recht bemühte. Sein Erbe ist das „Römische Recht". Es wirkt auch nach im Recht der römischen Kirche. Das Kreuz Christi aber ist doch wohl der schwerste Justizmord aller Geschichte. Was ist Schuld, was Tragik, was Geheimnis?

1.3.3. Prophetenmorde

Dupont, J.: Les Béatitudes. Bd. 2. 1969 (S. 296–318). *Schoeps, H. J.:* Aus frühchristlicher Zeit. 1950 (S. 126–143). *Steck, O. H.:* Israel und das gewaltsame Geschick der Propheten. 1967.

Die Rückschau in das Alte Testament ergibt im Neuen Testament die Anklage des Prophetenmordes und jetzt des Messias-Mordes durch die Juden. Die Anklage erscheint im Gleichnis von den bösen Winzern (Mk 12, 1–12). Der Besitzer des Weinberges sendet seine Knechte, die die Pacht einfordern sollen. Aber die Pächter schlagen, ja töten die Knechte. Die Knechte sind die Propheten, die Gott Israel gesandt hat. Aber Israel hörte nicht auf sie, sondern mordete sie. Zuletzt sendet der Herr des Weinberges „seinen einen, geliebten Sohn". Auch ihn töten sie. Es ist die Rede von der Schuld am Tode des Christus. In der überlieferten Fassung läßt die Gleichniserzählung Schrifttheologie nach Ostern erkennen (Ps 118, 22 f. in Mk 12,10 f. u. Par.). So wird es fraglich sein, wieweit das Gleichnis ursprüngliches Wort Jesu ist. Lk 13, 33 spricht Jesus: „Ich muß heute und morgen und am folgenden Tag wandern. Denn es geht nicht an, daß ein Prophet außerhalb Jerusalems umkomme." Daran schließt sich an der Weheruf über Jerusalem, das die Propheten

mordet (Lk 13, 34 f. = Mt 23, 37–39). Der Vorwurf des Prophetenmordes wird laut in den Weherufen gegen die Schriftgelehrten
und Pharisäer Mt 23, 30 f. 35. 37. Die große Rede der sieben Weherufe Mt 23, 13–39 ist redaktionelle Schöpfung des Evangelisten.
Einige Anklagen scheinen jedoch noch Verhältnisse vor der Zerstörung des Tempels und des Endes Jerusalems mit dem Jahre 70
vorauszusetzen, werden also doch ältere Texte enthalten (II. 3.). Stephanus beschuldigt die Juden früherer und seiner Zeit, daß sie die
Propheten verfolgten und töteten, wie sie jetzt den Messias getötet
haben (Apg 7, 52). Sehr hart ist das Wort des Apostels Paulus
1 Thess 2, 15, daß die Juden die Propheten und Jesus getötet haben.
(Jedoch mag zu fragen sein, ob der Text wirklich von Paulus
stammt; II. 5.) Die Überlieferung mag nachklingen, wenn Hebr
11, 36 f. von den Gerechten sagt, daß sie „Spott und Schläge erdul-
deten, gesteinigt (und verbrannt), zersägt und mit dem Schwert
getötet wurden".

Der Vorwurf ist älter als das Neue Testament. Ist er gerecht gemäß der Geschichte Israels? Die Königin Isebel ließ die Jahwe-Pro-
pheten ausrotten, so daß Elia klagt: „Deine Altäre haben sie niedergerissen; deine Propheten haben sie getötet" (1 Kön 19, 10). Doch
war dies die Tat der gottlosen Heidin allein. Auf Befehl des Königs
Joas wurde der Prophet Sacharia im Vorhof des Tempels getötet
(2 Chron 24, 21; Mt 23, 36). Der König Jojakim ließ den Propheten
Uria mit dem Schwert hinrichten (Jer 26, 23). Diese Morde gescha-
hen ohne, ja gegen den Willen des Volkes. Aus dem Exil zurückgekehrt, klagt sich aber Israel selber an: „Sie brachten die Propheten
um, die sie verachtet haben" (Neh 9, 26). Die Beschuldigung wird
wiederholt 2 Chron 36, 16: „Sie verspotteten Gottes Boten, verach-
teten seine Worte und trieben ihren Unwillen mit den Propheten."
In nachkanonischer Überlieferung wird vom Martyrium der Propheten berichtet. Danach wurde Micha in einen Abgrund gestürzt
(Leben d. Propheten 3); Jesaja auf Befehl des Königs Manasse zersägt (Himmelfahrt d. Jes. 5; Leben d. Propheten 13); Jeremia in
Ägypten von seinem Volk gesteinigt (Leben d. Propheten 14); Ezechiel vom Fürsten Israels getötet (Leben d. Propheten 15). Die Anklage, Israel habe seine Propheten getötet, entspricht in dieser All-
gemeinheit nicht seiner Geschichte. In der Selbstanklage ist Israel
mit sich überstreng ins Gericht gegangen. Darf christliche Überlieferung diese Anklage weitergeben?

1.4. Trennung

1.4.1. Scheidung zwischen Israel und Kirche

Baeck, L.: Das Evangelium als Urkunde der jüdischen Glaubensgeschichte. 1938; Nachdr. 1961. *Baumbach, G.:* Die Stellung Jesu zum Judentum seiner Zeit, in: Freib. Zeitschr. f. Philos. u. Theol. 20, 1973, 285–305. *Ders.:* Fragen der modernen jüdischen Jesusforschung an die christliche Theologie, in: TheolLitZtg 102, 1977, 625–636. *Bonsirven, J.:* Le judaïsme Paléstinien aux temps de Jésus Christ. Sa théologie. 2 Bde. 1934/35. *Braun, H.:* Spätjüdisch-häretischer und frühchristlicher Radikalismus. Jesus von Nazareth und die essenische Qumransekte (BHTh 24), 2 Bde. 1957. *Daube, D.:* The New Testament and Rabbinic Judaism. 1956. *Davies, W. D.:* Christian Origins and Judaism. 1962. *Ders.:* Paul and Rabbinic Judaism. Some Rabbinic Elements in Pauline Theology. 2. Aufl. 1962. *Eckart, W. P. – Hendrix, H. H. (Hrsg.):* Jesu Jude-Sein als Zugang zum Judentum. 1976. *Fitzmyer, J. A.:* Essays on the Semitic Background of the New Testament. 1971. *Flusser, D.:* Thesen zur Entwicklung des Christentums aus dem Judentum, in: Freiburger Rundbrief 27, 1975, 101. 181–184. *Goppelt, L.:* Christentum und Judentum im 1. u. 2. Jahrhundert. 1954. *Ders.:* Die apostolische und nachapostolische Zeit (Die Kirche in ihrer Geschichte I A). 2. Aufl. 1966. *Isaac, J.:* Jesus und Israel. Übers. 1968. *Klausner, J.:* Jesus von Nazareth. Seine Zeit, sein Leben, seine Lehre. Übers. 3. Aufl. 1952. *Ders.:* Von Jesus zu Paulus. Übers. 1950. *Longenekker, R.:* The Christology of Early Jewish Christianity. 1970. *Maier, J.:* Jesus von Nazareth in der talmudischen Überlieferung (EdF 82). 1978. *Ders.:* Jüdische Auseinandersetzung mit dem Christentum in der Antike (EdF 177). 1982. *Schäfer, P.:* Die sogenannte Synode von Jabne. Zur Trennung von Juden und Christentum im 1./2. Jahrh. n. Chr. in: Ders., Studien zur Geschichte und Theologie des rabbinischen Judentums. 1978, 45–55. *Parkes, J.:* The conflict of the Church and the Synagogue. A study in the origins of antisemitism. 1934. Nachdr. 1974. *Schlichting, G.:* Ein jüdisches Leben Jesu. Die verschollene Toledot-Jeschu-Fassung (WUNT 24). 1982. *Schubert, K.:* Jesus im Lichte der Religionsgeschichte des Judentums. 1973. *Vermes, G.:* Jesus the Jew. A historian's reading of the Gospels. 1973.

Nach den Berichten der Evangelien folgten Jesus in Galiläa wie in Judäa nicht wenige gläubige Jünger (II. 2.–5.). Doch endlich und endgültig hat Israel Jesus nicht in seiner Sendung erkannt und nicht anerkannt. Im Neuen Testament begegnen einige Versuche des Verstehens und der Erklärung dieses Verhaltens. Die Hörer verstehen Jesus nicht. Zu ihnen wird in Gleichnissen gesprochen, „auf daß sie sehend sehen und nicht erkennen, und hörend hören und nicht verstehen" (Jes. 6, 9f.). Diese Weissagung sollte sich erfüllen. Das

Nicht-Verstehen ist also Gottes eigene, geheimnisvolle Fügung (Mk 4, 11 f.; Lk 8, 10). Mt 13, 13 sagt jedoch sicher bedacht: „. . . da sie sehend nicht sehen und hörend nicht hören und nicht verstehen." Es ist danach also nicht Gottes Wille wirksam, sondern eigene menschliche Entscheidung und Schuld. Petrus erklärt in einer Predigt in Jerusalem: „Ich weiß, daß ihr aus Unwissenheit gehandelt habt wie auch eure Oberen" (Apg 3, 17; 13, 27; 17, 30). Im Johannes-Evangelium glauben die Pharisäer trotz des Wunders der Blindenheilung nicht. Sie wollen nicht sehen, nicht erkennen, nicht glauben. So sagt Jesus (Joh 9, 41): „Wenn ihr blind wäret, hättet ihr keine Sünde. Nun aber sagt ihr: wir sehen. Eure Sünde bleibt." Die Ablehnung ist also Schuld. Jesu Gegner haben keinen Vorwand für ihre Sünde. „Es mußte das Wort erfüllt werden: Sie haben mich ohne Ursache gehaßt" (Joh 15, 24 f.). So ist das Ende: „Er kam in sein Eigentum und die Seinen nahmen ihn nicht auf" (Joh 1, 11). In tiefer Erschütterung setzt Paulus sich mit dem Unglauben Israels auseinander. Israels Geschichte ist ein Geheimnis. Aber endlich wird auch Israel das Heil finden (Röm 11, 26; s. II. 6.).

Der Gegensatz zwischen Judentum und Christentum setzte sich nach der Scheidung im Neuen Testament fort, vertiefte und verhärtete sich. Mit der Niederlage im römisch-jüdischen Krieg und dem Ende des Staates verlor das Judentum durch die Zerstörung des Tempels in Jerusalem seine religiöse und politische Mitte. Der angesehene pharisäische Lehrer Rabban Joachanan ben Sakkai konnte mit mehreren Schülern das belagerte Jerusalem verlassen, und er gründete nun in Jabne (Jamnia) ein Lehrhaus, woraus ein Mittelpunkt jüdischer Sammlung wurde. Fortan bedeutete das Gesetz Mitte und Wesen des Judentums. Im Rückblick aus späteren Zeiten vermochte es so – ohne territoriale Basis – zu überleben. Die Synode von Jamnia formulierte auch maßgeblich das Achtzehn-Bitten-Gebet. Darin lautete als 12. Bitte eine Verwünschung der Römer und Christen: „Den Abtrünnigen sei keine Hoffnung. Entwurzele das übermütige Reich schnell in unseren Tagen. Mögen die Nosrin und die Minin rasch untergehen. Sie seien aus dem Buch des Lebens ausgelöscht." Es ist eindeutig, daß mit dem übermütigen Reich die Römer gemeint sind und mit den Nosrin (= Nazoräer) die Christen als Anhänger des Jesus von Nazareth. Die Minin sind die irgendwie Irrgläubigen, vielleicht beispielsweise Gnostiker. Die Formel machte Judenchristen die Teilnahme am synagogalen Gottesdienst unmöglich.

Aus dem Judenchristentum entwickelte sich als eine radikale

Gruppe die Gemeinde der Ebioniten (= „die Armen"). Der Name besagt, daß sie ein Armutsideal vertreten, womit sie eine apostolische Übung (Röm 15, 26; Gal 2, 10; Apg 4, 34–37) bewahrten. In ihrer Lehre war Jesus der erwartete Prophet, ein edler Mensch mit wunderbarer Macht. Er beobachtete streng das alttestamentliche Gesetz. Die Ebioniten kannten aber nicht Präexistenz und Jungfrauengeburt Jesu. Die kirchliche Lehre über Jesus schien ihnen Vergottung eines Menschen oder Vermenschlichung Gottes. Die Gemeinde der Ebioniten ging allmählich unter.

In der rabbinisch-jüdischen Überlieferung, die im Mittelalter in den ›Toledot Jeschu‹ (Generationen Jesu) gesammelt wurde, ist Jesus der Sohn Marias aus einer außerehelichen Verbindung mit dem gottlosen Verführer, dem Juden Josef Pandera. Aus dem Wundertäter Jesus wird ein Zauberer und Volksverführer, der mit dem Teufel im Pakt steht, dank dem er Wunder wirkt. Er wird entlarvt und vom Sanhedrin zum Tod verurteilt, gesteinigt und gehängt. Die Leiche wird geschändet. Gerechtes Urteil weiß, daß diese gegenchristliche Lehre nicht zum wenigsten dem Versuch und der Notwendigkeit entstammte, gegen das übermächtige Christentum (unter anderem gegen Zwangsdialoge und Zwangstaufen) sich zu behaupten. Darüber darf nicht vergessen werden, daß sich bedeutende jüdische Gelehrte, wie Maimonides (1135–1204) und andere in seiner Weise und Folge, um eine wissenschaftliche Diskussion mit christlicher Theologie bemühten und diese sogar befruchteten.

1.4.2. Judentum und Jesus heute

Ben Chorin, Sch.: Bruder Jesus. Der Nazarener in jüdischer Sicht. 1967. *Ders.:* Der Völkerapostel in jüdischer Sicht. 1970. *Ders.:* Jesus im Judentum. 1970 (Schriftenreihe f. christl.-jüdische Begegnung 4). 4. Aufl. 1981. *Ders.:* Theologia Judaica. Gesammelte Aufsätze. 1982. *Buber, M.:* Zwei Glaubensweisen. 1950. *Catchpole, D. R.:* A Study in the Gospels and Jewish Historiography from 1730 to the Present Day. 1971. *Flusser, D.:* Jesus in Selbstzeugnissen und Bilddokumenten. 10. Aufl. 1979. *Jasper-Betel, G.:* Stimmen aus dem neureligiösen Judentum in seiner Stellung zum Christentum. 1958. *Jocz, J.:* The Jewish People and Jesus Christ. A Study in the Relationship between the Jewish People and Jesus Christ. 1949. *Küng, H. – Lapide, P. J.:* Jesus im Widerstreit. Ein jüdisch-christlicher Dialog. 1976. *Lapide, P. J.:* Der Rabbi Jesus von Nazareth. Wandlungen des jüdischen Jesusbildes. 1974. *Ders.:* Ist das nicht Josephs Sohn? Jesus im heutigen Judentum. 1976. *Ders.:* Er predigte in ihren Synagogen. 1980. *Lapide, P. J. –*

Luz, U.: Der Jude Jesus. Thesen eines Juden. Antworten eines Christen. 1979. *Lapide, P. J. – Pannenberg, W.:* Judentum und Christentum. 1981. *Lindeskog, G.:* Die Jesusfrage im neuzeitlichen Judentum. Ein Beitrag zur Geschichte der Leben-Jesu-Forschung. 1938. Nachdr. 1973. *Maier, J. – Petuchowski, J. J. – Thoma, C.:* in: F. Böckle u. a. (Hrsg.), Enzyklopädische Bibliothek 26. 1980, 126–175. *Sandmel, S.:* We Jews and You Christians. 2. Aufl. 1973. *Schoeps, H. J.:* Jüdisch-christliches Religionsgespräch im 19. Jahrhundert. 1949. *Ders.:* Israel und die Christenheit. 1961. *Spaemann, H.:* Die Christen und das Volk der Juden. 1966. *Thoma, C.:* Kirche aus Juden und Heiden. 1970.

Die gesellschaftliche Lage des Judentums änderte sich im 18. Jahrhundert im Geist der Aufklärung. Die grundsätzliche rechtliche Gleichstellung wurde danach 1771 in der revolutionären französischen Konstitution, 1776 in der Unabhängigkeitserklärung der Vereinigten Staaten von Amerika, und dann folgend in den europäischen Staaten ausgesprochen. Damit begann auch ein neues Verhältnis der Juden zu den Christen und zu Jesus Christus selbst. Heutiges Judentum sucht Jesus als großen Lehrer und religiösen Gründer aus Israels Tradition, ja als Bruder wiederzugewinnen. So sagt Martin Buber, Zwei Glaubensweisen, 1950, 657: „Jesus habe ich von Jugend an als meinen großen Bruder empfunden."

Es seien hier Überlegungen eines Juden (P. J. Lapide–U. Luz, Der Jude Jesus. Thesen eines Juden. Antworten eines Christen, 1979, 69–71) angeführt: „Keinem der Glaubensmänner Israels haben Anhänger und Freunde, aber auch Gegner gefehlt. Mose klagt (Num 11,14; Dtn 1,9): ‚Wie kann ich allein tragen eure Mühe und Last und euren Streit?' David war Jahre hindurch vogelfreier Flüchtling (1 Sam 19–27). Er erfuhr den Aufruhr des Absalom (2 Sam 13–19), den Aufstand des Scheba (2 Sam 20–22), die Verschwörung des Adonia (1 Kön 1, 3–53). Elia, der Eiferer für Gott, klagt (1 Kön 19,10): ‚Herr der Heerscharen! Die Israeliten haben deine Altäre niedergerissen, deine Propheten mit dem Schwert getötet... Auch mir stellen sie nach dem Leben.' Zu Amos (7, 10) sagen die Priester: ‚Das Land kann deine Worte nicht ertragen.' Jeremia, wiederholt vom Oberpriester geschlagen und eingesperrt (Jer 10, 2), verflucht den Tag seiner Geburt (Jer 20,14). Sie hielten Jesus für Elia, für Jeremia oder sonst einen Propheten (Mt 16,14). Jesus griff, wie viele Propheten vor ihm, die Priesterelite mit Scheltreden wie Symbolhandlungen an. Dies führt letztlich zu seinem vorzeitigen Tod. Jude sein heißt: Konflikte und Widerspruch mit eigenen Leuten, insbesondere mit den Gesetzeslehrern zu ertragen."

Im heutigen Gespräch zwischen Juden und Christen mögen jene geltend machen, der Messias sollte nach alter Erwartung und Verheißung der Fürst des Friedens sein. Das Alte Testament kündigt den Messias als Friedensfürst an (Jes 9, 6). Der Friede in seiner Fülle ist Gottes Gabe (Lev 26, 6; Ps 85, 9–14). Das Neue Testament nimmt die Verheißung auf. Die Geburt des Messias soll „Friede bringen den Menschen der göttlichen Gnade" (Lk 2, 14). Der Friede ist die Gabe an die Jünger (Joh 14, 27). Gott ist „der Gott des Friedens" (Röm 15, 33; 1 Thess 5, 23). Christus gründete „den Frieden zwischen den Fernen und den Nahen" (Eph 2, 17), d. h. zwischen Israel und den Völkern. Wo ist der Friede geblieben? Israel kann die Christenheit nach der Erfüllung der Verheißung des Friedens fragen. Darf darauf geantwortet werden, daß das Wort Christi, den Jüngern einen Frieden zu geben, „nicht wie die Welt ihn gibt" (Joh 14, 27), einen Vorbehalt enthält? Dieser Friede ist keine politische und kosmische Größe. Jene Frage bleibt bedrängend, und die Verantwortung der christlichen Welt bleibt groß, wenn sie immerzu Kriege führt oder vorbereitet, statt Frieden zu schaffen.

2. Gottesglaube

Buber, M.: Die Götter der Völker und Gotte, in: O. Betz u. a. (Hrsg.): Abraham unser Vater (FS O. Michel). 1963, 44–57. *Coppens, J. (éd.):* La Notion biblique de Dieu. Le Dieu de la Bible et le Dieu des philosophes. 1976. *Falaturi, A. T., u. a. (Hrsg.):* Drei Wege zu dem einen Gott. Glaubenserfahrung bei den monotheistischen Religionen. 1976. *Hamerton-Kelly, R.:* God the Father. Theology and Patriarchy in the Teaching of Jesus. 1979. *Jeremias, J.:* Abba. Studien zur neutestamentlichen Theologie und Zeitgeschichte. 1966. *Kittel, G.:* Erwählung und Gericht. Ein Vergleich zwischen prophetischer und paulinischer Gotteserkenntnis. Diss. 1967. *Kreuzer, S.:* Der lebendige Gott. Bedeutung, Herkunft und Entwicklung einer alttestamentlichen Gottesbezeichnung (BWANT 116). 1983. *Kümmel, W. G.:* Die Gottesverkündigung Jesu und der Gottesglaube des Spätjudentums, in: Judaica 1, 1945, 40–68. *Lang, B. (Hrsg.):* Der einzige Gott. Die Geburt des biblischen Monotheismus. 1981. *Lapide, P. J. – Moltmann, J.:* Jüdischer Monotheismus – Christliche Trinitätslehre. Ein Gespräch (Kaiser Traktate 39). 1979. *Preuß, H. D.:* Verspottung fremder Religionen im Alten Testament. 1971. *Schaberg, J.:* The Father, the Son and the Holy Spirit. The triadic phrase in Matthew 28, 19b, Diss. 1982. *Schäfer, R.:* Jesus und der Gottesglaube. Ein christologischer Entwurf. 2. Aufl. 1972. *Spicq, C.:* Dieu et l'homme selon le Nouveau Testament. 1967.

2.1. Gott der Eine. Der Vater

Religionsgeschichte anerkennt und achtet Israels Religion als strengen, bilderlosen Monotheismus. Die Religionsgeschichte bemüht sich, mit ihren Mitteln und Erkenntnissen den Ursprung des jüdischen Monotheismus zu erklären. Israel selbst verstand seinen Gottesglauben als Offenbarung seines Gottes. Es erfuhr seinen Gott wohl zuerst als den, der das Volk aus ägyptischer Knechtschaft befreite (Ex 6, 2–8). Auf dem anschließenden Zug durch die Wüste offenbarte sich Gott dem Mose im brennenden Dornbusch als „Jahwe", was wohl bedeutet: Ich bin der, der ich (immer als Helfer) da bin. Vom Sinai herab machte sich Gott dem ganzen Volk in machtvoller Erscheinung kund (Ex 20, 2f.; Dtn 5, 6). In der Form einer Mahnung des Mose wiederholt Dtn 6, 4: „Höre Israel! Der Herr, unser Gott, ist *ein* Herr. Und du sollst den Herrn, deinen Gott, lieben von ganzem Herzen, von ganzer Seele und mit all deiner Kraft." Dies wurde das immer wiederholte Glaubensbekenntnis. In der Geschichte zurückgehend, erkannte Israel diesen Gott auch als den „Gott der Väter" (Gen 50, 24; Ex 2, 24); endlich als den Schöpfer des Menschen und zuletzt der ganzen Welt (Gen 1 u. 2).

Während und nach der Landnahme in Kanaan war Israel immer wieder versucht und gefährdet, zu den heidnischen Göttern als Mächten der Natur und ihrer Fruchtbarkeit abzufallen (1 Kön 18). Dann mußte Israel seinen Glauben sichern gegenüber den großen Kulturen der Sieger, wie in Babylon (Jer 44, 15–23; Ez 8; Jes 46, 1f. 6f.). Israels Glaube sprach sich in der Patriarchenzeit wohl auch in den Formen der Monolatrie aus. Von Israel darf nur der eine Gott verehrt werden. Andere Völker mögen andere Götter haben. „Ein jedes Volk wandelt im Namen seines Gottes; wir aber wandeln im Namen Jahwes, unseres Gottes, immer und ewiglich" (Mich 4, 5). Der Gott Israels ist der höchste über allen Göttern (Ps 97, 9) und allen Völkern (Ps 47, 9; 99, 2). Er ist der universale Schöpfer (Ps 95, 4f.) und König (Ps 95, 3). Die Götter der Völker sind neben dem Gott Israels Nichtse (Ex 20, 3; 22, 19; 23, 13; Jes 2, 8; 41, 24. 29). Sie sind überhaupt keine Götter (Jer 2, 5). Die fremden Götter gelten allenfalls als Dämonen (so in der LXX Jes 34, 14; 65, 11; Ps 96, 5). Der unbedingte Monotheismus wird von den Propheten verkündet (Jes 43, 10f.; Jer 23, 23f.). Im Exil und danach wird der Gott Israels prophetisch als der Gott aller Völker verheißen. Alle Völker werden nach Jerusalem kommen, dort anzubeten (Sach 14, 9. 16; Jes 40, 5; 45, 6). Die bildlose Verehrung des unsichtbaren Gottes (Ex 20, 4 f.) schied Israels Religion von den Religionen der alten Kulturen. Bildlosigkeit bedeutet, daß, wie Geschöpfe, so auch Bilder nicht als Epiphanie Gottes verstanden werden können. In der Berührung mit anderen Völkern und in deren Mitte wurde sich Israel des Gegensatzes zum heidnischen Polytheismus immer mehr bewußt. Der Gegensatz wird polemisch ausgesprochen. Die Götterbilder werden verspottet wegen ihrer Hilflosigkeit (Hos 8, 4–6; 13, 2; Ps 135, 15–18; Weish 13, 10–14, 12) und Stummheit (Jes 10, 10 f.; 44, 9–20; Hab 2, 18). Der Monotheismus wurde das leidenschaftliche Anliegen des Judentums in der Auseinandersetzung mit dem Hellenismus als Religion wie als politischer Macht. In der Zeit der Makkabäer (1 u. 2 u. 4 Makk) bezeugten die Frommen diesen Glauben mit dem Einsatz des Lebens.

Der Gottesglaube Israels ist seine Gabe und sein Erbe an das Neue Testament. Der Gott Israels und seiner Väter ist der Gott Jesu (Ex 3, 6 in Mt 22, 32). Der Gottesname Jahwe ist im Namen Jesus enthalten. Er ist die gräzisierte Form von Jehoschua (Josua) = Jahwe ist Heil (IV 1). Jesus und seine Jünger sprechen das alte Bekenntnis Israels aus (Dtn 6, 4 in Mk 12, 29 f.). Der Monotheismus ist der tragende Glaube der Kirche der Apostel (Apg 3, 13; Röm 3, 29; 11, 33–36; 1 Kor 8, 4–6; 2 Kor 4, 6; 1 Tim 2, 5; Jak 2, 19). Die heidnischen Götter sind, wie für die späteren Propheten, Dämonen (1 Kor 10, 19 f.). Die Götzen sind stumm (1 Kor 12, 2) und ohnmächtig (Röm 1, 21–32). Der Kult der Götter ist ein Kult der Elemente (Gal 4, 8 f.). Heutige Religionsgeschichte mag diesem Urteil des Paulus wohl zustimmen, wenn Kräfte der Natur in Göttern personifiziert sind.

Schon für das Alte Testament und entscheidend für das Neue Testament wird der Begriff Gottes als des Vaters bedeutsam. Im Alten Testament ist Gott Vater als Vater des Volkes Israel, sodann seines Königs und endlich des Frommen. Gott ist der Vater als der Schöpfer im Lied des Mose Dtn 32, 5 f.: Er ist „der Vater, der Israel erschaffen hat"; die Glieder seines Volkes sind „Gottes Kinder". Ebenso Mal 2, 10: „Haben wir nicht alle *einen* Vater? Hat uns nicht *ein* Gott geschaffen?" In besonderer Weise ist Gott Vater des Königs, der sein Sohn ist: „Ich will ihm Vater sein und er soll mir Sohn sein" (2 Sam 7, 14; Ps 89, 27). Gott ist aber endlich auch Vater eines jeden seiner Frommen. Der aus nachexilischer Zeit stammende Ps 103 vergleicht im Hymnus vor der Gemeinde Gottes Sorge mit der eines Vaters: „Wie sich ein Vater über seine Kinder erbarmt, so erbarmt sich Jahwe über jene, die ihn fürchten" (Ps 103, 13).

Prophetische Frömmigkeit spricht Gott als den Vater an (Jes 64, 7): „Jetzt aber, Jahwe, du bist unser Vater. Der Ton sind wir. Unser Bildner bist du." Noch intensiver persönlich wird das Gebet in der späteren Gemeinde. So sagt Jesus Sirach 23, 1: „O Herr, du Vater und Gebieter meines Lebens, laß mich nicht durch meine Zunge zu Fall kommen"; und Weish 14, 3: „Deine Vorsehung, o Vater, steuert das Schiff auf dem Meere." 3 Makk 6, 2–15 wird in einem feierlichen Gebet um die Hilfe Gottes des Schöpfers gebeten, des Herrn, des Beschützers, des Vaters. (In diesem Sinn berufen sich die „Juden" Joh 8, 14 darauf: „Wir haben Gott als den einen Vater.") Die Psalmen von Qumran erreichen das Wort (1 QH 9, 35 f.): „Mein Vater kennt mich nicht, und meine Mutter hat mich verlassen. Du bist ein Vater für alle Söhne der Wahrheit und freust dich über sie wie eine Mutter über das Kind, und wie ein Pfleger versorgst du auf deinem Schoß alle deine Geschöpfe." In weiteren, frühjüdischen Schriften (Jubiläen) und in rabbinischem Schrifttum heißt Gott Vater Israels wie der Frommen. Die Liturgie der Synagoge spricht Gott an: Unser Vater! Unser König! Erscheint also in späterer Zeit der Vatername Gottes öfter, so ist dieser Name doch nicht der übliche. Vielmehr wird Gott als der jenseitig Ferne und Fremde erfahren.

Im Neuen Testament bildet die Aussage der Vaterschaft Gottes eine Wesentlichkeit des Glaubens. Dabei unterscheidet sich und trennt sich Jesus von den Jüngern, indem er Gott seinen Vater in offenbar besonderer Weise nennt; so Mt 7, 21; 10, 32; 11, 25–27; 15, 13; 16, 17. 27; 18, 10. 19. 35; 20, 23; 25, 34; 26, 29. 53; auch Mk 14, 36; Lk 2, 49; 22, 29; 23, 45. Zu den Jüngern gewandt, spricht er von Gott als ihrem Vater: „Euer (himmlischer) Vater" (Mt 5, 16; 6, 26; 7, 11; 10, 20. 29; 18, 14; 23, 9; Lk 6, 36; 11, 13; 12, 32; einmal persönlich-innig: „Dein Vater wird es dir vergelten" (Mt 6, 4). Wohl schon formuliertes liturgisches Gemeindegebet ist Mt 6, 9: (Lk 11, 3): „Unser Vater in den Himmeln." Das Wort von Gott dem Vater fordert den Glauben heraus (Mt 10, 29): „Kauft man nicht zwei Sperlinge für einen Pfennig? Und nicht einer von ihnen fällt zur Erde ohne euren Vater." Wie vertragen sich Leid und Tod mit Gottes Sorge? Wohl um zu mildern, sagt Lk 12, 6: „Und nicht einer von ihnen ist vor Gott vergessen."

Im Johannes-Evangelium (2, 16; 3, 35; 5, 17. 19. 30; 15, 15) ist Gott im Wort Jesu stets der Vater Jesu. Danach sagt der Prolog (Joh 1, 18): „Der einzige Sohn, der im Schoß des Vaters ist, hat Kunde von ihm gebracht." Von der Gemeinschaft mit dem erhöhten Christus sagt dieser (Joh 20, 17): „Mein Vater und euer Vater."

In den Briefen des Paulus ist Gott der Vater Jesu Christi (Röm 6, 4; 1 Kor 15, 24; 2 Kor 1, 3). Gott ist unser Vater als der eine Schöpfer von allem (1 Kor 1, 3; 8, 6). Aus dem gemeinsamen Gebet der Gemeinde führt Paulus Gebetsrufe zum Vater an: „Im Gebet rufen wir: Abba, Vater" (Röm 8, 15). „Der Geist in unseren Herzen ruft: Abba, Vater" (Gal 4, 6). Die Auslegung fragt, ob hier die Gebetslehre Jesu und das ihr folgende christliche Gemeindegebet sich aussprechen oder aber ursprünglich jüdisches Beten nach dem Alten Testament.

2.2. Gott der Dreieine

Das Bekenntnis der Zweiheit von Vater und Sohn wird im Neuen Testament ebenso gefaßt wie ausgelegt. So 1 Kor 8, 6: „Für uns ist ein Gott, der Vater, aus dem alles ist und wir zu ihm hin; und ein Herr Jesus Christus, durch den alles ist und wir zu ihm hin"; ähnlich Röm 1, 7; Gal 1, 3. Aus der Zweierformel wird die Dreierformel, Vater, Sohn und Geist, die die Fülle des Heilswerks bedeutet. Sie bildet sich in Paulus-Briefen, wie Röm 15, 30 f.; 1 Kor 6, 11; 12, 4–6; 2 Kor 3, 17; Gal 4, 6; Phil 3, 3; Eph 1, 3; Hebr. 9, 14. Gedrängt ist die Reihung 2 Kor 13, 13: „Die Gnade des Herrn Jesus Christus und die Liebe Gottes des Vaters und die Gemeinschaft des Heiligen Geistes sei mit euch." Im Johannes-Evangelium erscheint die Dreiheit in Herrenworten. Vater und Sohn senden den Geist (Joh 14, 26; 15, 26). Schon liturgische Formel wohl aus längerer Entwicklung ist der Taufbefehl Mt 28, 19: „Taufet im Namen des Vaters und des Sohnes und des Heiligen Geistes." Die göttliche Dreiheit ist ebenso eine Einheit.

Während die LXX für Gott meist das Wort Kyrios einsetzt, gebraucht das Neue Testament meist das Wort Theos, womit es in das Griechentum hinüberweist. Griechische Geistigkeit und Philosophie bestimmte spätere kirchliche Dogmatik, da die Gotteslehre mit der Begrifflichkeit griechischer (und scholastischer) Metaphysik formuliert wurde. Dies gilt von der Christologie und von der Trinitätslehre. Die Konzilien von Nicäa 325, Konstantinopel 381, von Chalcedon 451, wie sodann die Scholastik drückten dies mit den Begriffen Prosopon, Person, Natur, Subsistenz, Substanz aus. Lehre des Judentums findet den unbedingten biblischen Monotheismus in der christlichen Trinität in Frage gestellt. Christliche Antwort mag etwa sagen: Reichtum und Fülle des einen Gottes erschließen sich auch im Alten Testament in Wirkungen nach außen. Eine Weise dessen ist das Wort Gottes. Das Wort ist mehr als nur ein vorübergehender Laut. Es hat mächtige, schöpferische Kraft (Gen 1, 3–24; Ps 33, 6; Weish 9, 1; 18, 15; Sir 39, 17). Das Wort erscheint als personifiziert. Dies aufnehmend, kann das Neue Testament (Joh 1, 1) Christus Wort Gottes nennen. In der nachexilischen Weisheitsliteratur tritt die Weisheit wie als hypostasierte und präexistente Größe auf (Spr 1, 20–23; 8; 9, 1–6; Sir 24; Weish 6, 12–25; 7, 22–8, 1). Im Neuen Testament erscheint Christus als die Weisheit (Mt 11, 19; 1 Kor 1, 24. 30). Der Geist Gottes ist schöpferische Kraft über und in dem All (Gen 1, 2; Ps 33, 6; Jes 40, 13). Er ist als Gottes Odem Leben des Menschen (Gen 2, 7; Jes 42, 5). Der Messias empfängt die Fülle des Geistes Gottes (Jes 11, 2). Das ganze Volk wird vom Geist erfüllt sein (Jes 44, 3; Ez 36, 25–27). Das Neue Testament nimmt diese Aussagen als erfüllt an. Erscheinung Gottes ist im Alten Testament „der Engel Gottes" (Malach Jahwe). Er geleitet Israel auf der Wüstenwanderung (Ex 14, 19). Er macht Gottes Kraft (Sach 12, 8) und Gottes Wissen kund (2 Sam 14, 20). Im Gespräch mit jüdischer Theologie wird christliche Antwort sagen, daß die Einheit und Einzigkeit Gottes in der kirchlichen Lehre gewahrt ist, da die Dreiheit Offenbarungsform der Einheit ist. Jeder Tritheismus wäre ein Unverständnis. Die göttlichen Personen werden in der formulierten Dogmatik als selbständige geistige Subsistenz, nicht als Existenz definiert.

3. Schöpfung

3.1. Welt und Mensch

Böcher, O.: Der johanneische Dualismus im Zusammenhang des nachbiblischen Judentums. 1965. *Brandenburger, E.:* Fleisch und Geist. Paulus und die nachbiblische Weisheit (WMANT 29) 1968. *Flender, H.:* Das Verständnis der Welt bei Paulus, Markus und Lukas, in: KuD 14, 1968, 1–27. *Gundry, St. N.:* Soma in Biblical Theology, with emphasis on Pauline anthropology (SNTS, Monogr. ser. 29). 1976. *Huppenbauer, H. W.:* Der Mensch zwischen zwei Welten. Der Dualismus der Texte von Qumran (Höhle I) und der Damaskusfragmente (Abh. z. Theol. d. A. u. N. T. 34). 1959. *Loretz, O.:* Schöpfung und Mythos. Mensch und Welt nach den Anfangskapiteln der Genesis (SBS 32). 1968. *Moule, C. F. D.:* Man and Nature in the New Testament. Some Reflections on Biblical Ecology. 1964. *Sand, A.:* Der Begriff Fleisch in den paulinischen Hauptbriefen (BU 2). 1967. *Schottroff, L.:* Der Glaubende und die feindliche Welt (WMANT 37). 1970. *Schrage, W.:* Die Stellung zur Welt bei Paulus, Epiktet und in der Apokalyptik. Ein Beitrag zu 1 Kor 7, 29–31, in: ZThK 61, 1964, 125–154. *Steck, O. H.:* Der Schöpfungsbericht der Priesterschrift. Studien zur literarkritischen und überlieferungsgeschichtlichen Problematik von Genesis 1–2, 4a (FRLANT 115). 2. Aufl. 1981. *Ders.:* Die Paradieserzählung. Eine Auslegung von Genesis 2, 4b–3, 24, in: Ders., Wahrnehmungen Gottes im Alten Testament. 1982, 9–116. *Stendebach, F. J.:* Der Mensch, wie ihn Israel vor 3000 Jahren sah. 1972.

Der ewige Gott ist der Schöpfer der Welt und des Menschen. Im Alten Testament stellt sich diese Glaubenslehre in mehrfacher Weise dar. Der älteste Bericht ist Gen 2, 4b–25. Im Garten des Paradieses bildet Gott den Adam aus Erde und haucht ihm den Atem des Lebens ein. Aus der Rippe des Adam bildet er Eva als dessen Gegenüber. In der Ehe verbindet Gott beide. Dieser Bericht ist wohl in der Zeit des Königs Salomo um 900 v. Chr. entstanden. Der Bericht ist, wie weiterhin die Urgeschichte, nicht Historiographie, sondern „Aitiologie" (= Nennung der Ursache). Der Mensch will die Umstände, in denen er sich vorfindet, sich selbst und anderen erklären. Adam und Eva sind symbolhafte Namen. Adam bedeutet „Erdling". Der Mensch ist aus Erde gebildet, wie er nach dem Tod wieder Staub der Erde sein wird. Eva bedeutet „Mutter des Lebens", da aus ihr das Leben immer neu ersteht. Erst Gen 5, 3–5 ist Adam als historische Person begriffen und der Abfolge der Generationen eingereiht. Danach wurde er 930 Jahre alt. Zumal dieser alte Schöpfungsbericht mag orientalische Mythen benützen. Er formt sie aber aus Israels Gottesglauben neu.

Der erheblich jüngere Schöpfungsbericht ist Gen 1, 1–2, 4a, in dem die Schöpfung im Sieben-Tage-Werk beschrieben ist. Der Bericht bekundet tiefe geistige Reflexion und Erkenntnis. Wenn Gott schafft, muß er nicht sich abmühen wie der Mensch. Er spricht sein Wort, und was er ruft, ist da. Die Betrachtung ist nicht mehr beschränkt auf den Garten des Paradieses, sondern umfaßt und erklärt die unendlich weite Welt. Gen 2 ist der Mensch Mittelpunkt eines Kreises, Gen 1 die Spitze einer Pyramide. Der jüngere Bericht Gen 1, 1–2, 4a gehört der „Priesterschrift" an, die wohl im 5. Jahrhundert abgeschlossen wurde. Sie läßt in der Tat priesterlich-theologisches Denken erkennen. Beide Schöpfungsberichte wurden wohl um 400 v. Chr. nach dem babylonischen Exil zur Einheit mit-

einander verbunden, in der sie bis heute den Anfang der Bibel bilden. Die Schöpfungsberichte der Genesis werden ergänzt durch andere alttestamentliche Texte, die auch andere Bilder benützen, wie
die eindrucksvolle Dichtung Ps 104. Weiter seien genannt Ps 8;
33, 2–9; 74, 13 f.; Jes 48, 13; Ijob 26, 5–14; 38, 4–11; Spr 8, 22–31;
Sir 43.

„Gott schuf den Menschen nach seinem Abbild, nach Gottes Bild
schuf er ihn" (Gen 1, 27). Die Gottebenbildlichkeit unterscheidet
und scheidet den Menschen vom Tier (Gen 1, 24–26). Worin besteht sie? Vielleicht kann man sagen: in seiner herrscherlichen Gestalt, seiner Freiheit und Geistigkeit. Dadurch ist er über die Tiere
erhoben und bestellt, über sie zu herrschen (Gen 1, 26). So versteht
Sir 17, 3 den Schöpfungsbericht: „Mit Macht, wie er sie selbst hat,
bekleidete er die Menschen und nach seinem Bilde schuf er sie." Bild
bedeutet in biblischer Sprache nicht nur schwache Abbildung, sondern Erscheinung und Gegenwart des Abgebildeten. So ist der
Mensch Gottes Bild in der Schöpfung. Die Aussage von dieser
Ebenbildlichkeit des Menschen ist Gen 5, 2 wiederholt und auf alle
Menschen erstreckt. Sie bleibt auch bestehen nach dem Sündenfall
(Gen 9, 6). Die Würde des Menschen ist unantastbar und unzer-
störbar.

Die Schöpfungslehre nahm zum Ende des Alten Testaments auch
griechische Philosophie auf. Während zuvor immer noch die Vorstellung bleiben mochte, daß Gott das Urchaos schöpferisch bewäl-
tigt hat (Gen 1, 2), vermag jetzt theologische Lehre auszusprechen,
daß Gott Welt und Mensch aus dem Nichts geschaffen hat (2 Makk
7, 28). Glauben und Wissen verbinden sich im Bemühen, das Geheimnis der Schöpfung zu ergründen und zu erhellen. Die Schöpfung wird als Natur und die Natur wird als Schöpfung begriffen
(Spr 3, 19 f.; 8, 22–31; 14, 31; 20, 12). Gott als der Schöpfer ist aus
der Schöpfung erkennbar (Ijob 28, 28; Sir 24, 7 f.). Im biblischen
Menschenverständnis ist der Mensch eine leiblich-geistige Einheit.
Mit dem biblischen hat sich später – und für immer – maßgeblich das
griechische Menschenbild verbunden, wonach der Mensch in der
Zweiheit von Leib und Seele existiert, wie dies höchst wirksam dargestellt ist in Platons Phaidon. Im hellenistischen Judentum verbinden sich beide Selbstverständnisse. Gen 2, 7 wurde in der griechischen Bibelübersetzung platonisch verstanden, wenn hier der
Lebenshauch mit „Seele" wiedergegeben wird. Der jüdische Hellenismus nimmt die griechische Lehre von der Unsterblichkeit der
Seele auf (Weish 3, 1. 9; 4, 14; 5, 5. 15; 9, 15; 15, 8). Das Buch der

Jubiläen (23, 31) spricht dies aus: „Die Gebeine der Gerechten werden in der Erde ruhen, und ihr Geist wird viele Freude haben." Das Alte Testament spricht es aus, daß der Schöpfer der Welt auch der mächtige Herr der Geschichte ist (Jer 27, 5; 31, 35–37; Jes 45, 12; Ps 33; 136). Gott ist endlich auch der Erlöser eines jeden Menschen (Jes 40, 28; 44, 6; Ps 33; 136; Neh 9, 6–37). Der in Israel bezeugte und von ihm ausgehende Schöpfungsglaube ist in jeder Zeit der Gegen-Satz zu Atheismus, Deismus, Pantheismus.

Die alte Schöpfungsgeschichte (Gen 3) will auch das Böse in der Welt erklären. Die ursprüngliche, paradiesische Ordnung der Welt ist tief verstört. Dies hat seinen Grund in der Schuld des Menschen, der Gottes Wort und Willen verlassen hat. Die Mühsal der Arbeit und die Kärglichkeit des Lebens bleibt damit für immer. Auch das Verhältnis von Mann und Weib ist schwer belastet. Die Sünde enthüllt die Nacktheit der beiden Menschen, so daß sie sich schämen und sich verhüllen. Darin ist die Entzweiung zwischen Leib und Geist offenbar. Das endliche Todeslos wird den Menschen immer niederdrücken. Auch dies ist wieder nicht Historie, sondern intensive Aitiologie. Der Mensch muß immer bereit sein, seine Schuld zu erkennen. Dies spricht jüdische Reflexion aus; so SyrApkBar 44, 19: „Adam ist einzig und allein für sich in Verschuldung. Wir alle aber sind, jeder für sich selbst, zum Adam geworden."

Dem Neuen Testament ist der Schöpfungsglaube Israels Glaubensgewißheit. So spricht auch Jesus von der Schöpfung als dem Anfang der Dinge (Mk 10, 6; 13, 19). Als Gottes Schöpfung ist die Welt gut. Alle Speisen sind gut und rein (Mk 7, 19). Jesus sieht freilich auch die tägliche Not des Lebens (Mt 6, 34). Als der Schöpfer ist Gott der Herr über den Menschen und der Mensch vor ihm der Knecht (gemäß Dtn 6, 4 in Mk 12, 29–32). Gott ist der herrscherliche König, wie über Jerusalem, so über allem (Mt 5, 35; 11, 25). Die Gleichnisreden Jesu beschreiben den Menschen im Dienste Gottes (Mt 13, 27 f.; 18, 23; 24, 45 f.; 25, 14; Lk 12, 37). Als der Schöpfer ist Gott auch der Vater der Menschen (IV. 2.). Als Heiland trägt Jesus den Verfall der Schöpfung mit, indem er die Krankheiten auf sich nimmt und sie heilt (Mt 8, 17). Die Welt ist verderbt durch die Herzenshärte des Menschen (Mk 10, 5 f.). Sie ist aber auch gebunden durch satanische Mächte (Lk 13, 10–17). Jesus will die ursprünglich heile Welt in der Königsherrschaft Gottes wiederherstellen (Lk 11, 20).

Paulus gilt die Erzählung von der Schöpfung der Welt nach Gen 1 u. 2 sicherlich wörtlich als Geschichte. Doch ist dies nicht nur einstige und einmalige Geschichte. Vielmehr ist Gott immer der Schöpfer, und damit auch das Ziel der Schöpfung. „Alles ist aus ihm, durch ihn und auf ihn hin" (Röm 11, 36; 1 Kor 8, 6). Die Erlösung ist „neue Schöpfung" (2 Kor 5, 17; Gal 6, 15). In einer großartigen Schau erkennt Paulus Gott von Anfang an und überall. Wo Gott ist, ist Licht und wo Licht ist, ist Gott (2 Kor 4, 6): „Gott, der sprach: Aus der Finsternis leuchte Licht auf, er ist aufgeleuchtet in unseren Herzen zum hellen Licht der Erkenntnis der Herrlichkeit Gottes auf dem Antlitz Christi" (2 Kor 4, 6). Paulus setzt die Lehre der hellenistischen Synagoge fort, wonach der Schöpfer aus der Schöpfung erkannt werden kann (Röm 1, 19 f.). Eine bedeutsame Fortentwicklung der Schöpfungslehre ist es, wenn Paulus aus der Präexistenz des Christus folgert, daß die Welt durch Christus und in Christus erschaffen ist. „Für uns ist der eine Gott der Vater, aus dem alles ist und zu dem hin wir sind, und der eine Herr Jesus Christus, durch den alles ist und wir durch ihn" (1 Kor 8, 6). Dies ist weiter ausgeführt in dem Hymnus Kol 1, 15–20. Für die Existenz im Glauben folgt aus der Schöpfungslehre, daß, wie die Fülle der Welt Gottes ist, so auch des Christen. „Alles ist euer . . . Welt oder Leben oder Tod, Gegenwärtiges oder Zukünftiges, alles ist euer, ihr aber seid des Christus, Christus aber ist Gottes" (1 Kor 3, 22 f.). Wie die Schöpfungslehre, so führt Paulus auch das Menschenverständnis christologisch fort. Schon die alte Auslegung nahm wahr (wie wir heute), daß zweimal (Gen 1, 27 u. 2, 7) von der Erschaffung des Adam berichtet ist. Philon (Allegorie der Gesetze 1, 31 f.; Schöpfung der Welt 1, 34) deutet dies mit Hilfe von Platons Ideenlehre auf die Schöpfung erst der Idee und dann der Wirklichkeit des Menschen. Nach Paulus (1 Kor 15, 45–47) ist der erste Mensch Adam (Gen 1, 27) von der Erde und irdisch; der zweite Mensch Christus vom Himmel. Danach wird der göttliche Geist gegeben, der den wahren Menschen schafft. Die Gedanken über den alten und neuen Menschen setzen sich fort Kol 3, 9–11 und Eph 4, 22–24.

Die biblische Lehre von der Urschuld Gen 3 wird in der folgenden Zeit des Alten Bundes nicht erwähnt, jedoch zur Zeit des Neuen Testamentes intensiv beachtet (Weish 2, 24; SyrApkBar 54, 15; ApkMose 7f. 15–32; 4 Esra 1 (3), 7; Leben von Adam und Eva). So erwähnt auch Paulus die Geschichte vom Fall des Adam (Röm 5, 12–21; 1 Kor 15, 21 f.) und der Eva (2 Kor 11, 3). Er versteht die Geschichte aber nicht einfachhin als einmalig-historisch, sondern existential als Anfang des Bösen in der Welt. Jeder Mensch

steht unter diesem Anfang, tritt jedoch mit eigener Sünde in den
Strom des Bösen ein (Röm 5, 12: „da alle sündigten"). Paulus lehrt
wohl einen Erbtod (Röm 5, 12. 15. 17; 1 Kor 15, 21 f.: „durch den
Tod des einen starben die vielen"), jedoch nicht ebenso eine Erbsünde im Sinne späterer kirchlicher Dogmatik. Jene Ursünde wurde
freilich aufgehoben „durch die Rechttat des einen Christus für alle
Menschen zu Gerechtigkeit und Leben" (Röm 5, 18). Die nachfol-
gende kirchliche Lehre sprach sehr viel von der Erbsünde. Sprach
und spricht sie so auch von ihrer Aufhebung „in der Fülle der Gnade
und der Gabe der Gerechtigkeit" (Röm 5, 21)?

3.2. Ehe

Heiler, F.: Die Frau in den Religionen der Menschheit. 1977. *Leipoldt,
J.:* Die Frau in der antiken Welt und im Urchristentum. 2. Aufl. 1955. *Nie-
derwimmer, K.:* Askese und Mysterium. Über Ehe, Ehescheidung und
Eheverzicht in den Anfängen des christlichen Glaubens. 1971. *Schelkle, K.
H.:* Der Geist und die Braut. Frauen in der Bibel. 1977. *Schüssler Fiorenza,
F.:* In Memory of Her. A Feminist Theological Reconstruction of Christian
Origins. 1983. *Stendahl, K.:* The Bible and the Role of Woman. 1966. –
Cottiaux, J.: La sacralisation du mariage de la Genèse aux incises matthéen-
nes. 1982.

Beide Schöpfungsberichte der Bibel haben Ziel und Ende in der
Gründung der Ehe. Der ältere Bericht stellt Gen 2, 21–24 dar, wie
Gott auf Adam einen Tiefschlaf fallen ließ, eine Rippe aus der Seite
des Menschen nahm und „ein Weib aus der Rippe baute". Es ist
wohl nicht erklärt, was Rippe bedeutet, wenngleich festgestellt ist,
daß im Sumerischen Rippe und Leben beide durch das gleiche Idio-
gramm dargestellt werden, das *ti(l)* ausgesprochen wird. Wohl aber
ist eindringlich gesagt, daß Mann und Weib, da sie aus einander genommen sind, wieder zusammenstreben, „ein Fleisch zu werden".
Fleisch bezeichnet in biblischer Sprache nicht nur die sinnenhafte
Körperlichkeit, sondern die Person; so Lk 3, 6: „Alles Fleisch wird
das Heil Gottes schauen" (Jes 40, 5; Ez 21, 4–10; Ps 62, 2). Der Bericht kommentiert weiter: „Ein Mann wird Vater und Mutter verlassen und seiner Frau anhangen" (Gen 2, 24). Die gesellschaftliche
Ordnung Israels war doch eigentlich, daß die Frau ihre Eltern ver-
ließ und in das Haus des Mannes zog. Der Sinngehalt jenes Wortes
ist, daß der Mann der Frau zugehört. Im jüngeren Bericht Gen 1, 28
stiftet der Schöpfer Gott die Ehe im Paradies und segnet ihre

Fruchtbarkeit. Es ist nicht ausdrücklich die Rede von der Ehe zwischen dem einen Mann und der einen Frau; doch die Innigkeit der Verbindung ist notwendig so ausschließlich, daß darin das Ideal der Einehe angelegt ist. Ein maßgeblicher heutiger Kommentar (C. Westermann, Genesis, Biblischer Kommentar Altes Testament I/1, 1974, S. 316) sagt: „Die Erzählung in Genesis 2 spiegelt ein kulturelles Stadium, dem die hohe Bedeutung der Frau für das Menschsein des Menschen bewußt war. In dieser Einschätzung der Bedeutung der Frau beziehungsweise des Menschen als Miteinander von Mann und Frau ist Genesis 2 unter den Mythen der Menschenschöpfung im ganzen Vorderen Orient einzigartig. Es ist bedeutsam, daß wir in unserer Kulturepoche im wesentlichen mit dem übereinstimmen, was Genesis 2 zu dem Verhältnis von Mann und Frau sagt."

Israel hat das Ideal der Einehe nicht immer verwirklichen können. Die Sitten der anderen Völker, in denen Vielweiberei möglich war, wirkten auch auf Israel ein. Aber dieses hat das Ideal nicht vergessen. So warnt und rügt der Prophet Maleachi (2, 14–16) um 450 v. Chr., daß Gott die Opfer nicht mehr gefallen. „Warum doch? Weil Gott Zeuge war für dich und das Weib deiner Jugend, an dem du treulos gehandelt hast. Sie war deine Gefährtin . . . Darum nehmet euch in acht in eurem Geist und keiner breche dem Weib seiner Jugend die Treue. Denn ich hasse die Scheidung, spricht der Herr, der Gott Israels." Mit sparsamem Wort ist hier etwas angedeutet vom Erlebnis der ersten Liebe und ihres Glückes. Daraus muß Treue werden.

Ein neues Zeugnis enthält ein Text aus Qumran. Zur Zeit dieser Gemeinde hatte der König Herodes mehrere Frauen – auch zu gleicher Zeit. Der kürzlich gefundenen Tempelrolle ist es aber sicheres Gesetz, daß der König nur eine Gattin habe. Stirbt sie, darf er eine andere Frau nehmen, jedoch nur aus seiner Familie und seinem Stamm (11QTempel 57, 15–17). Zufolge der aus der Scheidung folgenden Verpflichtungen des Mannes gegenüber Braut und Frau (Gen 34, 12; Ex 22, 15 f.; 1 Sam 18, 25) waren die wirklichen Scheidungen im Judentum, auch zur Zeit des Neuen Testamentes, wohl nicht häufig.

Israel nahm jedoch die mögliche ganze Wirklichkeit wahr und gab ihr recht, indem es im äußersten Fall die Freiheit zur Ehescheidung gelten ließ. Während sie in früher Zeit wohl durch einseitige mündliche Willenserklärung des Mannes wirksam wurde (Hos 2, 4), wurden die Rechte der Frau später auch gesetzlich geordnet

(Dtn 22, 13–30), bis der Mann verpflichtet wurde, der Frau, wenn er sie entlassen wollte, einen Scheidebrief auszustellen (Dtn 24, 1–4). Dieses Gesetz wollte für die Frau hilfreich sein. Nach der Erklärung der Scheidung konnte sie ihre Freiheit nachweisen und sich wieder verehelichen. Dabei hatte jedoch nur der Mann das Recht, die Ehe durch Trennung zu lösen (Sir 7, 26; 25, 26), die Frau nur allenfalls in äußersten Fällen.

Alttestamentliche Hochschätzung wie Ordnung der Ehe wirken im Neuen Testament weiter. Dies ist ausdrücklich zunächst dargestellt Mk 10, 2–12 (u. Par.). In einem Gespräch Jesu mit den Pharisäern berufen sich diese auf das Gesetz des Mose (Dtn 24, 1), das die Ehescheidung erlaubt. Gegenüber diesem späteren Gesetz beruft Jesus die ursprüngliche, paradiesische Ordnung der Schöpfung; er verbindet Gen 1, 27: „Als Mann und Frau schuf er sie" und Gen. 2, 24: „Deshalb wird der Mann seinen Vater und seine Mutter verlassen, und die zwei werden zu einem Fleisch werden." Jesus stellt das Ideal der ehelichen Treue als ursprünglich und immer geltend wieder dar. Er tut dies vor allem gegenüber einer verbreiteten Rechtsübung von Rabbinen, die die Willkür des Mannes legalisierte. Die Einehe ist ein Ideal, nicht auch schon Rechtssatz, wie das Ehegebot Mt 5, 21–48 zwischen Idealen, nicht Rechtssätzen erscheint.

Das Wort Jesu über die Ehe steht im Neuen Testament fünfmal (Mt 5, 32 = Lk 16, 18 wohl nach der Spruchquelle Q; Mk 10, 4 f. = Mt 19, 9 und sodann 1 Kor 7, 10). Die Überlieferung war also bestrebt, das Wort festzuhalten, doch wohl weil sie erkannte, wie bedeutsam es gegenüber der anderen jüdischen wie auch gegenüber griechisch-römischer Ordnung war. So erklärt Paulus 1 Kor 7, 10: „Den Verheirateten gebiete nicht ich, sondern der Herr: Die Frau soll sich vom Mann nicht trennen . . ., auch der Mann soll die Frau nicht entlassen." Paulus zitiert nur selten Herrenworte. Dieses aber gehörte bereits zum festen Spruchgut der Gemeinde. Es wurde als neu und bedeutsam festgehalten und weitergegeben. Mann und Frau haben gleiches Recht und gleiche Verpflichtung. Doch modifiziert der Apostel das Herrenwort dann dahin, daß christlicher Gatte sich vom nicht-christlichen trennen darf, wenn ein Zusammenleben nicht möglich ist. Der Friede ist höchstes Gut (1 Kor 7, 15). Bedeutsam ist aber, wenn Paulus sagt, daß jeder seine Frau „in Heiligung und Ehrfurcht gewinnen soll" (1 Thess 4, 4) und daß die Ehe die Gatten heilige: „Geheiligt ist der ungläubige Mann in der Frau und geheiligt die ungläubige Frau in dem Bruder" (1 Kor 7, 14). Die Ehe heiligt. Diese Überzeugung ist echtes jüdisches

Erbe. Die Ehefragen sind behandelt in dem Traktat des Talmud ›Qiddushin‹ (Heiligung). Für „antrauen" erscheint dort oft das Wort *qadash* (heiligen). Noch heute sagt im jüdischen Trauungsritus bei der Überreichung des Ringes der Gatte zur Gattin: „Durch diesen Ring sollst du mir heilig (angetraut) sein nach dem Gesetz von Mose und Israel."

4. Heilige Schriften

Davies, W. D.: The Gospel and the Land. Early Christianity and Jewish Territorial Doctrine. 1974. *Dietzfelbinger, Ch.:* Paulus und das Alte Testament. Die Bedeutung des Alten Testamentes für das Christusverständnis des Paulus (Theol. Existenz heute, NF 95). 1961. *Dugandzic, J.:* Das „Ja" Gottes in Christus. Die Bedeutung des Alten Testament für das Christusverständnis des Paulus (FzB 26). 1977. *Eckert, W. P., u. a. (Hrsg.):* Jüdisches Volk – gelobtes Land. Die biblischen Landverheißungen als Problem des jüdischen Selbstverständnisses und der christlichen Theologie. 1970. *France, R. T.:* Jesus and the Old Testament. 1971. *Goppelt, L.:* Typos. Die typologische Deutung des Alten Testaments im Neuen. 2. Aufl. 1969. Ndr. 1981. *Grélot, P.:* Le sens chrétien de l'ancien Testament. Esquisse d'un traité dogmatique. 1982. *Gunneweg, A. H.:* Vom Verstehen des Alten Testaments. Eine Hermeneutik. 1977. *Käsemann, E.:* Das Neue Testament als Kanon. Dokumentation und kritische Analyse zur gegenwärtigen Diskussion. 1970. *Lohfink, N. (Hrsg.):* Gewalt und Gewaltlosigkeit im Alten Testament (QuD 96). 1983. *Loretz, O.:* Das Ende der Inspirationstheologie. Chancen eines Neubeginns. 2 Bde. 1974. 1976. *Marquardt, F. W.:* Die Juden und ihr Land. 1975. *Michel, O.:* Paulus und seine Bibel. 2. Aufl. 1972. *Müller, P. G.:* Traditionsprozeß im Neuen Testament. Kommunikationsanalytische Studien zur Versprachlichung des Jesusphänomens. 1982. *Ohlig, K. H.:* Die theologische Begründung des neutestamentlichen Kanons in der alten Kirche. 1972. *Rad, G. von:* Gottes Wirken in Israel. Vortrag über das Alte Testament; hrsg. v. O. H. Steck. 1974. *Ders.:* Der heilige Krieg im alten Israel (ATHANT 20). 1951. *Rahner, K. – Ratzinger, J.:* Offenbarung und Überlieferung (QuD 25). 1965. *Rendtorff, R.:* Israel und sein Land. 1975. *Riese, G.:* Die alttestamentlichen Zitate im Römerbrief. Eine Untersuchung zur paulinischen Schriftauslegung. Diss. 1978. *Schmidt, W. H.:* Alttestamentlicher Glaube in seiner Geschichte. 2. Aufl. 1975. *Schmitt, R.:* Abschied von der Heilsgeschichte? Untersuchungen zum Verständnis von Geschichte im Alten Testament (Europ. Hochschulschr. 23, 195). 1982. *Skydsgard, K. E.:* Ecriture et Tradition. 1970. *Smitz, C.:* Oudttestamentische citaten in het Nieuwe Testament. 4 Bde. 1952–1963. *Strecker, G. (Hrsg.):* Das Land Israel in biblischer Zeit. Israel-Symposium 1981 (Göttinger Theologische Arbeiten 25). 1983. *Ulonska, H.:*

Die Funktion der alttestamentlichen Zitate und Anspielungen in den paulinischen Briefen. Diss. 1963. *Weippert, M.:* Die Landnahme der israelitischen Stämme in der neueren wissenschaftlichen Diskussion. 1967. *Westermann, C.:* Das Alte Testament und Jesus Christus. 1968. *Wuellner, W.:* Toposforschung und Torainterpretation bei Paulus und Jesus, in: NTSt 24, 1977/78, 463–483. – *Cote, R. L.:* Old Testament's Roots for New Testament's Faith. 1982. *Hanson, A. T.:* The Living Utterances of God. The New Testament Exegesis of the Old. 1983.

Das unvergängliche Werk, das Israel geschaffen und allen Zeiten vermacht hat, ist das „Alte Testament". Was bedeutet dieses Wort? Die griechische Übersetzung des Alten Testaments, die LXX, spricht oft von der Diatheke, dem von Gott gestifteten Bund mit den Menschen (Gen 9,12; 15,18; 17,19; Ex 24, 8 u. ö.). Danach spricht dann das Neue Testament vom „Alten Bund" (2 Kor 3,14; Gal 4, 24; Hebr 9,15) im Bewußtsein, daß nun ein neuer Bund gestiftet ist (IV. 6. 1. 3.). Das Wort vom „Neuen Bund" erscheint 1 Kor 11, 25; 2 Kor 3, 6 (IV. 6. 1. 3.). Diatheke aber bedeutet in der profanen Gräzität gewöhnlich „Testament". Beide Bedeutungen des Wortes Diatheke sind Gal 3, 15–18 und Hebr 9, 16–20 verschränkt. So bildet sich die Redeweise vom „Alten Testament" und vom „Neuen Testament". – Das Wort Bibel ist ursprünglich ein Lehnwort aus dem Ägyptischen, wo es den Schreibstoff aus Papyros bezeichnet. Seit dem 1. Jh. v. Chr. spricht das hellenistische Judentum von den „Heiligen Schriften" oder der „Heiligen Schrift" (Philon, Leben des Mose 2, 292; Josephus, Altertümer 10, 210). Diese Bezeichnung übernahm die Kirche des Neuen Testamentes (Röm 1, 2; 2 Tim 3,15 f.; 2 Petr 1, 20; 3,16).

Das Alte Testament ist nicht nur ein Buch, sondern in Wahrheit eine Bibliothek aller großen Gattungen der Literatur. Das Alte Testament spricht, vor allem in ältesten Teilen der Bücher Mose, in Mythen, Sagen und Legenden, wie die Völker zunächst in dieser Weise tiefste Aussagen über den Menschen, seine Welt und seine Geschichte machen. Das Alte Testament enthält Geschichtsschreibung; so über die „Richter", weiter die Bücher Samuel, der Könige und der Chronik über die Könige Saul, David, Salomo und ihre Geschlechter. In den Büchern der Makkabäer ist auch hellenistische Geschichtsschreibung angenommen. Das Alte Testament enthält grundlegende sittliche Gebote und Ordnungen. Die „Zehn Gebote" (Ex 20, 1–17; Dtn 5, 6–21) gelten auch dem Neuen Testament (Mk 10,19; Röm 13, 9) und seither in Kirche und Welt. Das Alte Testament enthält umfangreiche Rechtssetzungen, vor allem in den

Büchern Exodus, Leviticus und Numeri, die, mit anderen gleichzeitigen orientalischen Rechtskörpern vergleichbar, sich ihnen gegenüber durch Humanität auszeichnen. Die Lösung des Abraham von der Nebenfrau Hagar ist (Gen 16 u. 21) mit Teilnahme geschrieben. Im Codex etwa des Königs Hammurabi gilt allein das Recht des Mannes. – Über den Sabbat s. IV. 5. 1. Das „Hohelied" ist ein bedeutender Beitrag zur Liebesliteratur der Völker. Ein Hochzeitslied ist Ps 45. Doch wohl als unvergänglich dürfen die zahlreichen Bücher der Propheten gelten, die höchste religiöse Literatur darstellen. Wieder eine besondere und immer neu wirksame Art der Literatur sind die apokalyptischen und eschatologischen Texte. Die zuletzt verfaßten und zur Sammlung des Alten Testaments hinzugekommenen Schriften umfassen die Weisheitsliteratur. Es sind Jesus Sirach, Sprüche, Prediger und die Weisheit Salomos. Sie enthalten große Schätze der Erfahrung und Lebensgestaltung. Sie nehmen Einsichten gleichzeitiger griechischer Philosophie auf und sprechen zuletzt griechische Sprache. Damit leiten diese Schriften die Verbindung biblischen Glaubens und griechischer Geistigkeit ein. Die Verbindung hat sich weiter verbreitet und vertieft. Darauf gründet zuletzt die abendländische geistige Kultur. Hellenistische Romanliteratur erscheint in Büchern wie Judith, Ester und – außerhalb des Kanons – im Buch Joseph und Aseneth.

Das Judentum sammelte sein Altes Testament in einem langen Prozeß der Kanonbildung, der erst in neutestamentlicher Zeit abgeschlossen wurde. Dabei fehlte es nicht an Auseinandersetzungen darüber, welche Bücher „kanonisch" sein sollten. Die Grenzen des Kanons sind nicht ganz gleich in jüdischem und christlichem Gebrauch der Schriften.

Für die Auslegung bildete sich in Israel (und danach in der Kirche) eine erklärende und ergänzende „Tradition", die bis heute in der kirchlichen Dogmatik Schrift und Tradition sich zur Einheit ergänzen. Bewegungen, die aus dem Judentum auf die Kirche zuführen, bemühten sich damals intensiv um Auslegung des Alten Testaments; so die Schriftgelehrten, die Pharisäer, die Gemeinde von Qumran. Unzählige Male wird das Alte Testament im Neuen Testament als Grundbuch angeführt in wörtlichen Zitaten wie in Anklängen. „Sie durchforsten täglich die Schriften, ob es sich also verhalte" (Apg 17, 11). Die Jüngergemeinde erkannte dabei das Alte Testament als erfüllt in der Geschichte Christi und der Kirche (Gal 4, 4; Lk 4, 21; Mt 11, 4–6). Sie teilte die Überzeugung des Paulus (Röm 15, 4; 1 Kor 9, 10): „Alles was vormals geschrieben wurde, ist zu unserer Belehrung geschrieben." Die Gemeinde des Neuen Bundes bekundet so ihre Verbundenheit, ja Einheit mit dem Israel des Alten Bundes. Dabei tat sich freilich ein tiefer Gegensatz auf in der verschiedenen Auslegung der Bibel. Das Judentum lehnte und lehnt notwendig die christologische Deutung des Alten Testamentes ab, während die Kirche glaubte und glaubt, so den Sinn des Alten Testamentes zu entdecken.

Die Kirche übernahm auch die Überzeugung Israels von der göttlichen Inspiration der Heiligen Schrift. „Die Schrift ist von Gottes Geist eingegeben" (2 Tim 3, 16). Eine beachtliche Erklärung der Vorstellung entwickelt Philon, Leben des Mose 2, 188–190: „Die Gottesworte wurden teils von Gott selbst durch Vermittlung des göttlichen Propheten verkündet, teils in Form von Fragen und Antworten als Gottes Wille offenbar, teils von Mose selbst im Zustand innerer Begeisterung und Verzückung ausgesprochen. Die der ersten Art sind ganz und gar Offenbarungen der göttlichen Eigenschaften, seiner Gnade und seines Wohlwollens ... Die zweite Art setzt einen innigen Verkehr voraus, da der Prophet über das, was er wissen will, anfragt und die Gottheit ihm antwortet und ihn belehrt. Die dritte Art ist dem Gesetzgeber vorbehalten, dem die Gottheit die Gabe des Vorauswissens erteilt hat." Inspiration bedeutet jede Vollkommenheit, auch Irrtumslosigkeit eines Textes. Schon die jüdischen Schriftgelehrten hatten danach Mühe, Unvollkommenheiten und Widersprüche der Schriften zu erklären. Innerhalb des Alten Testamentes erscheinen kritische Neufassungen älterer Bücher. Das Deuteronomium bedeutet in der Zeit des späteren Königtums gesetzliche und kultische Reform gegenüber mosaischer Tora. Die Bücher der Chronik geben nachexilisch eine religiös vertiefte und geläuterte Darstellung der Bücher Samuel und der Könige. Die Fragen des Verständnisses und der Auslegung der Heiligen Schrift gingen auch an die christliche Theologie weiter, und ihre Beantwortung wurde nicht selten mit unfruchtbarer Apologetik versucht. Schwere Probleme ergaben sich auch aus der unbedenklich gesteigerten nationalen Darstellung der Geschichte Israels, die nicht einfachhin als Heilsgeschichte angenommen werden kann. Dazu gehört auch die Beurteilung der Landverheißung an Israel, die mit Abraham beginnt (Gen 15, 7; Dtn 3, 2–4). Ist sie auch im Neuen Testament anerkannt (etwa Mt 5, 5; Apg 7, 45; Hebr 11, 8 f.)? Können danach heutige Staatsgrenzen gefordert werden? (Dabei soll nicht bestritten werden, daß auch das Volk Israel das Recht hat, eine territoriale Basis zu verlangen.)

5. Ethische Werte und Haltungen

Banks, R.: Jesus and the Law in the Synoptic Tradition (SNTS, Monogr. Ser. 28). 1975. *Bornkamm, G.:* Das Ende des Gesetzes. Paulusstudien (Ges. Aufs. 1; Beitr. z. ev. Theol. 16). 5. Aufl. 1966. *Berger, K.:* Die Gesetzesauslegung Jesu. Ihr historischer Hintergrund im Judentum und im Alten Testament. 1972. *Broer, I.:* Freiheit vom Gesetz und Radikalisierung des Gesetzes (SBS 98). 1980. *Carson, D. A.:* From Sabbath to Lord's Day. A Biblical, Historical and Theological Interpretation. 1982. *Dietzfelbinger, C.:* Die Antithesen der Bergpredigt. 1975. *Dülmen, A. van:* Die Theologie des Gesetzes bei Paulus (SBB 5). 1968. *Gilbert, M. (éd.):* Morale et Ancien Testament. 1976. *Heiligenthal, R.:* Werke als Zeichen. Untersuchungen zur Bedeutung der menschlichen Taten im Frühjudentum, Neuen Testament und Frühchristentum. Diss. 1981. *Hempel, J.:* Das Ethos des Alten Testaments (Beih. z. ZAW 67). 2. Aufl. 1964. *Horst, F.:* Gottes Recht. Studien zum Recht im Alten Testament. 1961. *Hübner, H.:* Das Gesetz in der synoptischen Tradition. Thesen zur progressiven Qumranisierung und Judaisierung innerhalb der synoptischen Tradition. 1973. *Ders.:* Das Gesetz bei Paulus. Ein Beitrag zum Werden der paulinischen Theologie (FRLANT 119). 1980. *Hyatt, F. Ph.:* The prophetic criticism on Isrealite Worship. 1963. *Kinder, E. – Haendler, K. H.:* Gesetz und Evangelium. Beiträge zur gegenwärtigen theologischen Diskussion (EdF 142). 1968. *Koch, H.:* Zum Prinzip der Vergeltung in Religion und Recht des Alten Testaments. 1972. *Kümmel, W.:* Äußere und innere Reinheit des Menschen bei Jesus, in: H. Balz – S. Schulz (Hrsg.), Das Wort und die Wörter (FS G. Friedrich). 1973, 35–46. *Limbeck, M.:* Die Ordnung des Heils. Untersuchungen zum Gesetzesverständnis des Frühjudentums. 1971. *Ders.:* Von der Ohnmacht des Rechts. Untersuchungen zur Gesetzeskritik des Neuen Testaments. 1972. *Lührmann, D.:* Glaube im frühen Christentum. 1976. *Neusner, J.:* The Idea of Purity in Ancient Judaism. 1973. *Nissen, A.:* Gott und der Nächste im antiken Judentum. Untersuchungen zum Doppelgebot der Liebe (WUNT 15). 1974. *van Oyen, H.:* Ethik des Alten Testaments. 1967. *Räisänen, H.:* Paul and the Law (WUNT 1. R. 29). 1983. *Rendtorff, C.:* Priesterliche Kulttheologie und prophetische Kultpolemik, in: ThLZ 81 (1956) 339–342. *Paschen, W.:* Rein und Unrein. 1970. *Schelkle, K. H.:* Ethos (Theologie d. Neuen Testaments 3). 2. Aufl. 1977. *Schrage, W.:* Ethik des Neuen Testaments (Grundrisse z. Theologie 4). 1982. *Schreiner, J.:* Prophetische Kritik an Israels Institutionen, in: J. Schreiner (Hrsg.), Die Kirche im Wandel der Gesellschaft, 1970, 15–29. *Schüngel-Straumann, H.:* Gottesbild und Kultkritik vorexilischer Propheten (SBS 60). 1972. *Spicq, C.:* Théologie morale du Nouveau Testament. 2 vol. 1965. *Strand, K. A. (ed.):* The Sabbath in Scripture and History. 1982. *Strecker, G.:* Die Antithesen der Bergpredigt. 1975. *White, R. E. D.:* Biblical Ethics. 1979.

5.1. Gesetz und Gebot

In der neutestamentlichen Auseinandersetzung ist die Frage des Gesetzes von bedeutender Wichtigkeit. Mit dem Wort Nomos (Gesetz) übersetzte die LXX das hebräische Wort Tora, das mündliche wie schriftliche Belehrung und Weisung bedeutet. Tora heißt danach das geschriebene alttestamentliche Gesetzesgut im Pentateuch (Jos 1, 8; 1 Kön 2, 3; Neh 8, 8. 18; s. IV. 3.), das kultische, sittliche und rechtliche Bezüge enthält und das Leben gemäß dem göttlichen Bund regeln sollte. Die Übersetzung „Gesetz" ändert und verschärft die „Weisung". So war das Gesetz der eine Teil des Alten Testaments, ein anderer die ›Propheten‹, ein dritter die ›Schriften‹. Im Frühjudentum und in der Zeit des Neuen Testaments ist Gesetz identisch mit der ganzen jüdischen Lebensordnung, ja Religion.

Israel erfuhr das Gesetz nicht als Last (so allerdings Apg 15, 10), sondern als Auserwählung, Gabe und Freude (Dtn 28, 1–14; 30, 11–14; Ps 19, 8–10; 119). Das Gesetz bewahrte und sicherte Israel – unter oft genug durch Macht oder geistige Kultur überlegenen Völkern – sein Selbstverständnis und sein Wesen. Im Frühjudentum bemühten sich die Gesetzeslehrer um die Deutung wie die Einschärfung des Gesetzes (III. 4.). Sie bauten einen „Zaun um das Gesetz", der das eigentliche Gesetz schützen sollte. Davon sagt Qumran (Damamaskusschr. 4, 12): „Der Zaun ist gebaut, fern ist die Satzung." Bei der Erklärung war die Lehre auch zur Milderung, ja Gesetzesaufhebung gezwungen.

In Israel gab es kritische Haltung gegenüber Gesetz und Gesetzesübung. Diese Besinnung beginnt bei den Propheten. Sie tadeln äußerliche und nachlässige Gesetzeserfüllung, wobei zuletzt Gesetz und Gesetzlichkeit überhaupt, insbesondere hinsichtlich des Kultes, fraglich wurden. Als solche Texte sind zu nennen: Jes 1, 10–14; Jer 7, 22 f.; 8, 8 f.; Hos 6, 6; 8, 12 f.; Am 5, 21–25; Mich 6, 6–8. Jes 29, 13 ist von Jesus aufgenommen Mk 7, 6; Hos 6, 6 ist Mt 9, 13 angeführt.

Wie jüdische Gesetzeskritik dem Neuen Testament voranging, so hörte sie auch mit ihm nicht auf. Bedacht werden mag das Urteil von D. Flusser, Jesus und das Judentum, 1978, S. 44: „Es gibt natürlich bei Jesus eine eigentümliche Problematik in seiner Beziehung zum Gesetz und seinen Geboten; aber diese entsteht bei einem jeden gläubigen Juden, wenn er sein Judentum ernst nimmt."

Angefügt seien Berichtigungen von mißverständlichen und auch mißverstandenen Aussagen im und über das Gesetz. Die Formel:

„Auge für Auge, Zahn für Zahn, Hand für Hand" (Ex 21, 24) befiehlt nicht Rachsucht, sondern Gerechtigkeit. Die Strafe muß dem Vergehen entsprechen und darf nicht maßlose Forderung sein. Die Rabbinen zählten 613 Gebote. Dies ist jedoch nicht einfachhin eine unerfüllbare Kasuistik, sondern eine symbolische Zahl. Entweder wird 613 errechnet aus dem Zahlenwert des Wortes Tora; oder 613 ergibt sich als Addition von 248 als der Zahl der Glieder des menschlichen Leibes und 365 als den Tagen des Sonnenjahres. 613 bedeutet danach, daß der ganze Mensch jeden Tag unter Gottes Weisung steht (s. Strack-Billerbeck, Kommentar 1, 200 f.).

Gesetzesfrömmigkeit wurde nicht allgemein äußerliche Gesetzlichkeit und Werkgerechtigkeit. Dies bekunden bedeutsame Texte. So sagt 4 Esr 6 [8] 36: „Deine Liebe und Güte, Herr, wird dadurch offenbar, daß du dich derer erbarmst, die keinen Schatz an guten Werken haben." Und Antigonos von Soko (um 100 n. Chr., in Sprüche der Väter 1,3): „Seid nicht wie Knechte, die dem Herrn dienen um Belohnung zu erhalten; seid vielmehr Knechte, die dienen ohne die Absicht, Lohn zu erhalten." Ein Midrasch zu Ex 30, 19 erklärt: „Dem, der nichts hat, gebe ich von meinem Schatz. Ich bin gütig, wem ich gütig bin, und zeige mich dem gnädig, dem ich gnädig bin."

Im Neuen Testament bedeutet Gesetz vor allem den Pentateuch (Mt 5, 17; Lk 16, 16; Apg 13, 15 u. ö.), seltener das ganze Alte Testament (Joh 10, 34; Röm 3, 19 u. ö.). Mt 5, 17–19 stehen schwerwiegende Sätze über die bleibende Gültigkeit des Gesetzes. Die Worte lassen wohl Auseinandersetzungen um das Gesetz etwa unter Judenchristen oder zwischen Judenchristen und Juden vermuten. Gegen Versuche, das Gesetz abzutun, wird die Gültigkeit des Gesetzes betont. Unsere Exegese fragt, ob die Logien ursprüngliche Jesusworte sind oder judenchristliche Formulierung. Aber jedenfalls stehen sie im Matthäus-Evangelium. Diesem Evangelium sind es Worte Jesu. Wie versteht sie der Evangelist? Er berichtet nachher von der Kritik Jesu am Gesetz (Mt 9, 14–17; 12, 1–14. 22–45; 15, 1–20). So kann er die genaue Erfüllung des Gesetzes wohl nicht buchstäblich verstehen, sondern nur grundsätzlich und inhaltlich, ja geistig. Er versteht die Erfüllung wohl von der Verwirklichung des als Prophetie verstandenen Gesetzes.

Zu den gesetzlichen Übungen und Forderungen gehörte das Fasten. Allgemeiner Fasttag war jährlich der große Versöhnungstag (10. Tischri). Andere Fasttage kamen allmählich dazu. Die Pharisäer und strenge Fromme fasteten Montag und Donnerstag jede

Woche (Lk 18,12). Jesus verwirft nicht das Fasten überhaupt (Mt 4, 2; 6,16–18). Doch soll es keine Gesetzlichkeit für seine Jünger sein, da für sie jetzt messianische Festzeit ist (Mk 2,18f.). Es ist aber doch wohl bedeutsam, daß die Kirche nach dem Tode Jesu sich jene Freiheit nicht bewahren konnte, sondern wieder Fasten zur Erinnerung an Jesu Tod einführte (Mk 2, 20).

Als wichtiges Gebot und Anlaß zu Zwiespalt erscheint in den Evangelien (Mk 2, 23–28; 3, 1–6; Lk 13, 10–17; 14, 1–6) das Gebot, den Sabbat als Ruhetag zu halten (nach Ex 20, 8–11; Dtn 5, 12–15). Die Juden selber erfuhren und erkannten wohl die Fraglichkeit einer unbedingten Befolgung des Sabbatgebotes. Im 2. Jh. n. Chr. sagt ein Rabbi: „Euch ist der Sabbat übergeben und nicht ihr seid ihm übergeben." Auch jüdische Auslegung urteilte, daß am Sabbat ein Menschenleben gerettet werden darf. Doch der Rigorismus ließ Ausnahmen vom Gesetz nicht gelten (s. Strack–Billerbeck, Kommentar, 1, 620–630; 4/2, Stichwort Sabbat, 1256f.). Jesus erklärt: „Der Sabbat ist um des Menschen willen da, nicht der Mensch um des Sabbat willen" (Mk 2, 27). Gutes zu tun und ein Leben zu retten, muß am Sabbat erlaubt sein. Es ist also immer nach dem Sinn des Gesetzes zu fragen. Dieser Sinn ist das Gute des Menschen. Hier tritt ein Gegensatz zwischen Gesetzlichkeit und Freiheit zutage. Nach Mk 3, 6 berieten die Pharisäer deshalb, Jesus „ins Verderben zu bringen". Mag auch die Datierung dieses Entschlusses auf diese Stunde historisch verfrüht sein, der Evangelist sagt sachlich Wirkliches aus. Die Jüngergemeinde wollte die Frage des Sabbats endlich nicht nur mit eigener Entscheidung und aus Sachgründen lösen. Sie beruft sich auf ein neues Gebot, jenes nämlich des Menschensohnes (Mk 2, 28).

Im Zusammenhang mit dem Sabbat-Konflikt kommt noch das andere Gesetz zur Sprache, wonach nur die Priester die im heiligen Zelt ausgestellten Schaubrote essen durften (1 Sam 21, 2–7). David und seine Begleiter aber aßen die Brote. Menschlichkeit ist mehr als Gesetzlichkeit (Mk 2, 25–27).

Schwerwiegend ist Lk 16, 16: „Das Gesetz und die Propheten reichen bis zu Johannes; von da an wird das Evangelium vom Reiche Gottes verkündet." Damit ist eigentlich mit der Ausrufung der Gottesherrschaft die zwingende Gültigkeit des Gesetzes beendet.

Eine Kritik am Gesetz ist ausgesprochen, wenn Mk 10, 7 die Anordnung des Scheidebriefes, der Dtn 24, 1 wie das ganze Gesetz ausdrücklich als Gebot Gottes gegeben ist (Dtn 6, 1), als Gebot des Mose bezeichnet ist, das dieser gegeben hat wegen der Bosheit der

Juden. Jesus beruft sich gegen dieses Gebot auf die von Gott im
Paradies gegebene Schöpfungsordnung nach Gen 1, 27; 2, 24
(s. II. 3. 2.).

Jesus hebt die rituellen Reinheitsgebote auf. Als Ergebnis langer
kasuistischer Entfaltung wurden umfangreiche rituelle Gesetze
über Verunreinigung durch Geschlechtlichkeit, Aussatz, Tiere und
Reinigung danach Lev 11–15 und Dtn 14, 4–21 festgeschrieben. Sie
wurden noch verfeinert und verschärft durch die „Überlieferungen
der Alten" (Mk 7, 3). Jesus kritisiert (Mk 7, 14–23) jene Überlieferung der Alten, ja hebt alle rituellen Reinheitsgesetze auf, da er erklärt, daß nichts, was in den Menschen eingeht, ihn verunreinigen
kann. Unrein machen ihn die bösen Gedanken und Taten, die aus
dem Herzen kommen.

Schwer ist die Auseinandersetzung um das Gesetz bei Paulus
(II. 7.). Er war der Sohn einer strengen jüdischen Familie und Gemeinde (Apg 21, 39; 2 Kor 11, 22). Er war „Pharisäer nach dem Gesetz" (Phil 3, 4f.). Die Briefe des Paulus lassen deutlich rabbinische
Schule und Geistigkeit erkennen. Als „Eiferer für die Überlieferungen der Väter" (Gal 1, 14) verfolgte er zunächst die christliche Gemeinde in Jerusalem (Apg 8, 1. 3). Auf dem Weg nach Damaskus,
wo er ebenfalls die Kirche verfolgen wollte, erfuhr er die Bekehrung
und die Berufung zum Apostel der Völker (1 Kor 9, 1; 15, 8; Gal
1, 15; Phil 3, 6). Die Lehre des Paulus über das Gesetz ist dialek-
tisch-gegensätzlich. Das Gesetz ist „heilig, gerecht und gut" (Röm
7, 12). Es ist vom Geist erfüllt und vermittelt ihn (Röm 7, 14). Die
Erfüllung des Gesetzes verheißt und schafft die Gerechtigkeit des
Menschen (Röm 9, 31; 10, 5), überhaupt sein Leben (Röm 7, 10).
Dies würde wenigstens als Ideal gelten. Die Wirklichkeit ist jedoch
anders. Das Gesetz ist nicht ursprünglich wie Bund und Verheißung durch Gott selbst gestiftet, sondern später durch Engel und
Mittler gegeben (Gal 3, 17–19). In Wirklichkeit kommt durch das
Gesetz keine Gerechtigkeit (Gal 2, 21; 3, 21). Die Sünde verbündet
sich mit dem Gesetz (Röm 7, 7–11). Durch das Gesetz kommt
Kenntnis und Erfahrung der Sünde (Röm 3, 20). Es wird geradezu
das „Gesetz der Sünde und des Todes" (Röm 8, 2). Die Juden rühmen sich des Gesetzes, übertreten es jedoch (Röm 2, 17–24). In ihrem Eifer für das Gesetz wollen sie sich der Werke rühmen und sich
selbst als bestätigt erfahren (Röm 3, 27; 10, 2). Indem nun Christus
als vom Gesetz Verfluchter am Kreuze starb, hat es sich selber aufgehoben. Christus hat uns von Gesetz, Sünde und Tod befreit (Gal
3, 13). „Christus ist das Ende des Gesetzes zur Gerechtigkeit für

jeden, der glaubt" (Röm 10, 4). Die Erfüllung des Gesetzes ist nicht mehr Forderung, sondern sie wird dem Glauben, der Christus annimmt, geschenkt (Röm 3, 22). Die Freiheit vom Gesetz ist jedoch nicht Willkür, sondern „das Gesetz des Geistes des Lebens in Christus Jesus" (Röm 8, 2). Der wahre Sinn des Gesetzes ist die Liebe (Röm 13, 8–10). Insofern kann Paulus sagen, daß er das Gesetz nicht abtut, sondern aufrichtet (Röm 3, 31). Die Predigt des Paulus, das Gesetz habe sein Ende gefunden, wurde von Israel als Abfall von Mose (Apg 21, 21), endlich als Aufhebung jüdischer Existenz verstanden (Apg 21, 27–29). Die Forderung war zuletzt: „Hinweg mit ihm (Paulus)" (Apg 21, 36).

Ist vom Gegensatz zwischen Altem und Neuem Testament, Judentum und Christenheit wegen des Gesetzes die Rede, so darf doch Übereinstimmung nicht übergangen werden. Aus dem Alten Testament (Ex 20, 2–17; Dtn 5, 6–21) übernimmt das Neue Testament (Mt 19, 17f.; Röm 13, 9f.; Jak 2, 11) den Dekalog. Israel verstand den Dekalog als von Gott selbst vom Sinai aus verkündet und auf steinerne Tafeln geschrieben (Ex 20, 1–17; 24, 12; 34, 1). Israel selbst mußte bereits die im Alten Testament zum Teil verschiedene Formulierung des Dekalogs erklären. Um so mehr stellen Inhalt und Form des Dekalogs nicht wenige und erhebliche historische Fragen. Die ethische Wertung enthält für einst und noch mehr für heute weitere Probleme. Gleichwohl bleibt der Dekalog eine offenbar unersetzliche sittliche Grundordnung. Als drittes Gebot erscheint im Dekalog das Gebot, den Sabbat als Ruhetag zu heiligen, wie Gott nach dem Sechstagewerk der Schöpfung am siebten Tag ruhte. Die Freiheit vom Zwang der Arbeit soll Israel überdies erinnern an die Befreiung aus der Knechtschaft Ägyptens (Dtn 5, 15). Die alte Welt kannte nirgendwo einen wöchentlichen Ruhetag. Sie nahm am jüdischen Sabbat vielmehr geradezu Anstoß (I. 2.). Das Sabbat-Gebot ist außerordentlich human und sozial. Der Herr des Hauses soll am Sabbat keine Arbeit tun, aber mit ihm auch nicht „Sohn und Tochter, der Sklave, die Sklavin, noch das Vieh, noch der Fremdling". Schon das Neue Testament (1 Kor 16, 2; Apg 20, 7; Apk 1, 10) und weiterhin die Kirche haben statt des Sabbats den ersten Tag der Woche als den Tag der Auferstehung Christi zum wöchentlichen Feiertag bestimmt. Der Ruhetag des Sabbats wurde neutestamentlich das Vorausbild der großen und ewigen Vollendung (Hebr 4, 1–11). So ist der regelmäßige arbeitsfreie Wochentag als Erbe des Judentums hochgeschätzte Ordnung in der ganzen Welt geworden.

5.2. Glaube

Eine wesentliche biblische Grundhaltung ist der Glaube. Religionsgeschichte und Lexikographie weisen auf, daß die Wörter „Glaube" *(pistis)* und „glauben" *(pisteuein)* nur in der Bibel ihre intensive religiöse Bedeutung haben. In der klassischen Gräzität bedeutet *pisteuein* glauben im Sinne von etwas vermuten oder meinen. Griechische Religion glaubt nicht an die Existenz der Götter, sondern sie weiß, daß die Götter sind, da diese immerzu als Kräfte erfahren werden, die die Welt erfüllen. Im Hellenismus kann „glauben" bisweilen religiösen Gehalt annehmen. Dies gilt dann auch vom jüdischen Hellenismus. Danach wird „glauben" in der griechischen Übersetzung des Alten Testamentes ein wesentliches Wort, mit dem hebräische Wörter verschiedener Stämme wiedergegeben werden, die alle bedeuten: Gott vertrauen. Dem folgen andere Übersetzungen des Alten Testaments. Auch in der deutschen Übersetzung des Alten Testamentes ist glauben ein wichtiges Wort. In dieser Weise begegnet das Wort glauben zum ersten Mal im Alten Testament in der Geschichte des Abraham (Gen 15, 6): „Abraham glaubte Gott." Abraham ist danach das große Vorbild des Glaubens, indem er gegen alle menschliche Hoffnungslosigkeit Gott vertraute und Gottes Wort glaubte. Sodann sprechen die Propheten von der Mächtigkeit des Glaubens; so Jes 7, 9: „Glaubet ihr nicht, so bleibet ihr nicht." Die Weisheit spricht (Sir 2, 8): „Die ihr den Herrn fürchtet, glaubet an ihn, und der Lohn wird euch nicht verlorengehen."

Das Judentum begriff den Glauben als das Wesen seiner Religion im Gegensatz zu anderen Religionen, deren Wesen kultische, oft genug pomphafte Begehung war; oder gegenüber dem Griechentum, dessen Religion Feier des Schönen und des Wahren war. Diesen Glauben bezeugte Israel als religiöses wie politisches Bekenntnis gegenüber den Fremdherrschaften hellenistischer Mächte (2 Makk 7, 14; 8, 18) wie endlich gegen römische Kaiser (I. 2.).

Im Neuen Testament wird diese Entwicklung aufgenommen, wobei Glaube ein überaus häufig gebrauchter wesentlicher Begriff wird. So begegnet das Wort vom Glauben in Sprüchen Jesu in den Evangelien. Der Glaube vermag Berge zu versetzen (Mk 11, 23). Dem in den Wellen versinkenden Petrus ruft Jesus zu: „Kleingläubiger, warum hast du gezweifelt" (Mt 14, 31). Die Erzählungen von wunderbaren Heilungen schließen oft: „Dein Glaube hat dich gerettet" (Mt 9, 22; Mk 10, 52; Lk 7, 50; 17, 19). Der Vater des

besessenen Knaben ruft: „Ich glaube, hilf meinem Unglauben"
(Mk 9, 24). Das Evangelium unterscheidet sich aber von Israel,
wenn Jesus die Menschen um ihn als „ungläubiges und verkehrtes
Geschlecht" bezeichnet (Mt 12, 39; 17,17). Juden sprachen täglich
zweimal das jüdische Glaubensbekenntnis: „Höre Israel, der Herr
unser Gott ist ein Herr und kein anderer außer ihm" (Dtn 6, 4f. =
Mk 12, 28–30). Man kann immerzu das Glaubensbekenntnis auf-
sagen und trotzdem ungläubig sein.

Ein wesentliches Wort ist Glaube in der Predigt des Paulus. Bei
ihm erhält das Wort christologischen Gehalt. Glauben ist „Vertrauen zu Gott durch den Christus" (2 Kor 3, 4). Der Glaube ist
Charisma (1 Kor 12, 9). Er ist gewirkt durch den von Gott gegebe-
nen Geist des Glaubens (2 Kor 4, 13). Als „hören" auf Gottes Wort
ist der Glaube „Gehorsam" (Röm 1, 5; Gal 3, 2. 5). Der Glaube
erfüllt sich „in der Freude des Glaubens" (Phil 1, 25), aber auch in
der Tat (1 Thess 1, 3), und besonders in der Liebe (Gal 5, 6; 1 Kor
13, 1). Der Glaube wirkt die christliche Existenz in der Gerechtigkeit (Röm 3, 28).

Das Johannes-Evangelium sagt, daß der Glauben Leben und
Licht ist und schafft (3, 15 f.; 5, 24; 12, 46). Der Glaube an den Sohn
ist Glaube an den Vater (12, 44 f.; 17, 8). Die Predigt der Kirche
wird diesen Glauben weiterhin in der Welt wirken (17, 20 f.). Der
Glaube ist Überwindung der Welt (1 Joh 5, 4). Die mit der Bibel
begonnene Bewegung ist nicht zur Ruhe gekommen bis heute. In
welchem Verständnis ist Glaube heute Möglichkeit?

M. Buber, Zwei Glaubensweisen (1950), unterscheidet alttestamentlich-jüdische und neutestamentlich-christliche Glaubensweise. *Emuna* als alttestamentlich-jüdische Glaubensweise ist danach
Vertrauen, *pistis* als neutestamentlich-christliche Glaubensweise
Für-wahr-Halten eines Glaubensinhaltes. Jüdische wie christliche
Erwägungen haben jedoch bedacht, daß ein solcher Gegensatz
zwischen *emuna* und *pistis* wohl kaum in solcher Weise besteht.
Auch neutestamentlicher Glaube ist ebenso *fides qua,* wie *fides
quae creditur.*

5.3. Liebe

Betontes und wesentliches Merkmal des biblischen Ethos ist
Liebe als Gottes- und Nächstenliebe. Die Gottesliebe darf wohl als
ausschließlich biblische Haltung bezeichnet werden. Aristoteles

lehrt, es sei sinnlos, von einer Liebe der Götter zu den Menschen zu sprechen, weil Götter keines Gutes zu ihrer Beseligung bedürfen (Nikom. Ethik 9, 35, 1158B). Ebenso sagt er: „Es wäre Unsinn, wenn einer sagen wollte, er liebe Zeus" (Große Ethik 2, 11, 1208). Solches gilt für die ganze griechische Religion und mit ihr für alle natürliche Religiösität. Wenn Liebe (nach Platon, Symposion 203) wertergänzendes Streben ist, ist Liebe von seiten Gottes unmöglich, da er alle Güter besitzt. Die biblische Liebe von Gottes Seite ist nicht wertbegehrend, sondern wertschenkend, da sie den Sünder aus Gnade wertvoll und liebenswert macht (1 Joh 4, 9f.).

Das Alte Testament beschreibt zunächst durch lange Zeit von der Schöpfung an das liebevolle Walten Gottes gegenüber dem Menschen und spricht in späteren Texten auch ausdrücklich von der Liebe Gottes zum Menschen. Es gilt als Gottes Wort: „Mit ewiger Liebe liebe ich dich. Darum habe ich dir so lange meine Huld bewahrt" (Jer 31, 3). Der Gott Israels ist „ein barmherziger und gnädiger Gott, langmütig, reich an Huld und Treue, der Gnade bewahrt bis ins tausendste Geschlecht, der Schuld, Missetat und Sünde verzeiht" (Ex 34, 6f.).

Der Gott, der liebt, erwartet die Gegenliebe Israels. Das Verhältnis ist wie ein ehelicher Bund (Hos 1–3; Jes 54, 4–8; Jer 2, 2; 31, 32). Die Liebe zu Gott wird Gebot (Dtn 6, 5; 10, 12): „Du sollst den Herrn, deinen Gott, lieben von ganzem Herzen, von ganzer Seele und mit aller Kraft." Dies ist das große Gebot, das der Jude jeden Tag morgens und abends spricht. Der begnadete Mensch muß die Liebe Gottes an die anderen weitergeben. Aus dem Gebot der Gottesliebe folgt das Gebot der Nächstenliebe. So las Israel in seinem Gesetz, daß, da die Volksgemeinschaft im Bund mit Gott aufgehoben ist, darin notwendig die Nächstenliebe gründet (Lev 19, 10. 34). Keiner ist Fremder, sondern jeder ist Naher. So gilt: „Du sollst den dir ganz Nahen lieben wie dich selbst" (Lev 19, 18). Die Nächstenliebe umfaßt auch den Fremdling im Land (Lev 19, 34; Dtn 10, 19), ja den Feind (Lev 19, 17f.; Spr 25, 21). In der Zeit des Neuen Testamentes kann der Lehrer Hillel sagen, daß die Übung der Nächstenliebe das ganze Gesetz ist. Wohltätigkeit war denn auch zu jeder Zeit ein Ehrentitel des Judentums.

Die Verbundenheit und Einheit der Gebote der Gottes- und Nächstenliebe wird begriffen. Beide sind schon vereinigt Micha 6, 8: „Es ist dir gesagt, was gut ist und was der Herr von dir fordert: Nichts als das Recht zu üben und die Güte lieben und demütig zu wandeln vor deinem Gott." Die Zwölfer-Testamente (Iss 5, 2; 7, 6;

Zab 5, 1; Dan 5, 2 f.; Benj 3, 3) sagen: „Liebet den Herrn und euren Nächsten" (ebenso Jubiläen 20, 2). Philon (Einzelgesetze 2, 63) sagt: „Es gibt zwei Grundlehren, denen die zahlreichen Einzellehren und Sätze untergeordnet sind: In bezug auf Gott das Gebot der Gottesverehrung und Frömmigkeit, in bezug auf Menschen das der Nächstenliebe und Gerechtigkeit."

Das Neue Testament gibt das Erbe des Alten Testamentes weiter. Die Liebe zu Gott ist auch Inhalt und Gebot des Evangeliums. Jesus selbst führt das Gebot an Mk 12, 29: „Du sollst den Herrn deinen Gott lieben." Diese Liebe Gottes offenbart sich in Lehre und Werk Christi, da er Gott als den Vater liebt und zu lieben lehrt (IV. 2. 1.). Worte der Apostel sprechen dies weiter aus. Sie sagen, daß Gott immer zuerst liebt und der Mensch diese Liebe erwidert. „Wenn einer Gott liebt, so ist er von ihm erkannt" (1 Kor 8, 3). „Jetzt, da ihr Gott erkannt habt, vielmehr von ihm erkannt seid" (Gal 4, 9). So gilt: „Die Liebe (von seiten) Gottes ist ausgegossen in eure Herzen" (Röm 5, 5). In vollem Ausdruck sagt Eph 2, 4: „Gott hat in seiner großen Liebe, mit der er uns liebte, uns, da wir tot waren in Sünden, zusammen mit Christus lebendig gemacht." Und weiter Johannes-Brief (1 Joh 4, 9): „Darin besteht die Liebe, nicht daß wir Gott geliebt haben, sondern daß er uns geliebt hat und seinen Sohn als Sühnopfer für unsere Sünden gesandt hat."

Das Neue Testament gibt dem Liebesgebot neue Kraft und Tiefe. Unvergänglich ist die Beispielerzählung vom Barmherzigen Samariter, die sagt, daß jeder andere immer der Nahe und Nächste ist (Lk 10, 29–37). Die Antithesen zwischen einst und jetzt verlangen neue Haltung und Tat (Mt 5, 38–47). Dies folgt auch aus dem (neuen) Vaternamen Gottes: „Seid barmherzig, wie euer Vater barmherzig ist" (Lk 6, 36). Das Johannes-Evangelium hat das Bewußtsein, daß die Liebe „ein neues Gebot" ist, insofern sie das Gesetz der Jüngerschaft und diese Liebe im Beispiel Jesu begründet ist (13, 34): „Ein neues Gebot gebe ich euch, daß ihr einander liebet, wie ich euch geliebt habe." Die Liebe kennzeichnet die Gemeinde vor der Welt (Joh 13, 35): „Daran werden alle erkennen, daß ihr meine Jünger seid, wenn ihr diese Liebe untereinander habet." Die Johannes-Briefe (1 Joh 3, 23; 4, 20 f.) wiederholen wie in feierlichem Lied das Liebesgebot. Im Jakobus-Brief (2, 8) ist die Liebe „das königliche Gesetz". Paulus preist die Liebe im „Hohenlied der Liebe" (1 Kor 13). Die Liebe ist „der Weg über alles hinaus" (1 Kor 12, 31). „Erfüllung des Gesetzes ist die Liebe" (Röm 13, 8–10).

Israels Tradition fortführend und vollendend, verbindet das

Evangelium Jesu die beiden alttestamentlichen Gebote der Gottes-
und Nächstenliebe ausdrücklich zur Einheit. Auf die Frage des
Schriftgelehrten antwortet Jesus Mk 12, 29–31: „Das erste ist: Du
sollst den Herrn, deinen Gott, lieben aus deinem ganzen Herzen
... Das zweite ist dieses: Du sollst den, der dir nahe ist, lieben wie
dich selbst." Das Gebot der Gottesliebe ist hier mit Dtn 6, 4f., das
der Nächstenliebe mit Lev 19,18 formuliert. Die Antwort Jesu
findet Mk 12, 32 die Zustimmung des Schriftgelehrten. Lk 10, 27
verbindet der Gesetzeslehrer selbst beide Gebote, was offensicht-
lich in der Redaktion des Lukas den Grund hat.

Ausdrücklich sei angemerkt, daß auch antike Welt, insbesondere
die Stoa, Humanität und Menschenliebe kannte und forderte. Sehr
schöne Sätze stehen in der Schrift Senecas › Von den Wohltaten‹; so
3, 28: „Wo ein Mensch ist, ist Gelegenheit, Gutes zu tun." Es kann
aber wohl nicht bestritten werden, daß vom neutestamentlichen
Liebesgebot weitreichende Wirkung ausging. Darin kommt aber
dann auch Israels Genius zur Geltung.

6. Synagoge und Kirche

Berger, K.: Volksversammlung und Gemeinde Gottes. Zu den Anfängen
christlicher Verwendung von „ekklesia", in: ZThK 23, 1976, 167–207.
Colpe, C.: Die Diskussion um das Heilige (WdF 305). 1977. *Dautzenberg,*
G. u. a. (Hrsg.): Zur Geschichte des Urchristentums (QuD 87). 1979.
Hahn, F. – Strobel, A. – Schweizer, E.: Anfänge der Kirche im Neuen Te-
stament. 1967. *Hainz, J.:* Koinonia. Kirche als Gemeinschaft bei Paulus
(BU 18). 1982. *Jocz, J.:* A Theology of Election. Israel and Church. 1958.
Kremers, K. (Hrsg.): Das Verhältnis der Kirche zu Israel. 1964. *Merklein,*
H.: Die Ekklesia Gottes. Der Kirchenbegriff bei Paulus und in Jerusalem,
in: BZ 22, 1978, 48–70. *Reicke, B.:* Die Verfassung der Urgemeinde im
Licht jüdischer Dokumente, in: ThZ 10, 1954, 95–112. *Richardson, R.:* Is-
rael in the Apostolic Church. 1969. *Rost, L.:* Die Vorläufer von Kirche und
Synagoge im Alten Testament. Eine wortgeschichtliche Untersuchung
(BWANT 4, 24). 1938. *Ders.:* Studien zum Opfer im Alten Testament
(BWANT 113). 1981. *Schnackenburg, R. (Hrsg.):* Die Kirche im Neuen
Testament (QuD 14). 3. Aufl. 1966. *Schrage, W.:* „Ekklesia" und „Syn-
agoge". Zum Ursprung des neutestamentlichen Kirchenbegriffs, in: ZThK
60, 1963, 178–202. *Schweizer, E.:* Gemeinde und Gemeindeordnung im
Neuen Testament (AThANT 35). 2. Aufl. 1962.

In seinem öffentlichen Wirken sammelte Jesus eine Jüngerschaft
um sich (II. 1.–3.). Nach der Auferstehung Jesu und durch die

Geistausgießung formte sie sich neu in deutlicher Gestalt. Diese Gemeinde Jesu war zunächst eine judenchristliche Gemeinschaft. Wenn sie sich dann von der Synagoge trennte, bekunden doch Namen, Ämter und Dienste immer die Verbundenheit beider.

6.1. Namen der Kirche

Gemeinde und Gemeinden Jesu und seiner Jünger erhalten im Neuen Testament eine Fülle der Namen. Sie erklären sich wesentlich vom Alten Testament her, bekunden also den Ursprung aus Israel wie Vollendung seiner Geschichte.

6.1.1 Ekklesia

Das deutsche Wort Kirche bedeutet = Eigentum des Herrn *(Kyrios)*. Es ist insoweit biblisch, als im Neuen Testament Christus der Kyrios ist (IV. 1. 2. 5.).

Im Neuen Testament nennt sich die Kirche *ekklesia*. *Ekklesia* (ursprünglich griechisch: zusammengerufene Versammlung, Volksversammlung) steht im griechischen Alten Testament etwa hundert Mal für *qahal*. Beide Wörter bedeuten Versammlung, auch kultische Gemeinde (Ps 22, 23; Joel 2, 16; 2 Chr 6, 3). Indem das Neue Testament den alttestamentlichen Titel Israels benützt, beansprucht es, das Alte Testament zu erfüllen. Das Bundesvolk wird im Alten Testament meist als *edah* (Gemeinde) bezeichnet, welches Wort im griechischen Alten Testament meist mit „Synagoge" (Zusammenkunft) wiedergegeben wird. Die Gemeinde von Qumran bezeichnet sich selbst als *edah* (1QSa 1, 3 f. 9; 2, 2; 1QM 2, 5; 3, 4). Synagoge bezeichnet im Neuen Testament das Haus der jüdischen Gemeinde oder diese selbst, nur Jak 2, 2 die christliche Ortsgemeinde. Das Wort *ekklesia* erscheint in den Evangelien nur Mt 16, 18 und 18, 17 (wohl nachösterliche Bildung), sehr oft dagegen in der Apostelgeschichte und in den Paulus-Briefen. Es ist also die Selbstbezeichnung der sich ausbreitenden und schon konstituierten Kirche. *Ekklesia* bezeichnet als kleinste Einheit eine Hausgemeinde, die Ortskirche (1 Kor 1, 2; 4, 17; 2 Kor 1, 1; Gal 1, 2; 1 Thess 1, 1; Philem 2), wie endlich die eine, ganze Kirche (1 Kor 10, 32; 12, 28; 15, 9; Gal 1, 13).

6.1.2. Heilige Gemeinde

Die alte wie die neue Gemeinde weiß sich als „heilige" Gemeinde. Das Alte Testament gebraucht für heilig das Wort *qadosch*, was, von *qad* (trennen) hergeleitet, getrennt bedeutet. Die LXX übersetzt mit *hagios*. Ursprünglich ist Heiligkeit von Gott als dem Urheiligen ausgesagt. Er ist der Heilige als der von der Welt und aller Profanität Getrennte. Der Schöpfer ist damit der Schöpfung gegenübergestellt. In diesem Sinn nennt heutige Religionsphilosophie Gott als den Transzendenten den „ganz Anderen". Gott selbst macht sein Wesen so kund: „Ich bin heilig" (Lev 19, 2). „Gott bin ich und nicht ein Mensch, ein Heiliger in deiner Mitte" (Hos 11, 9). In der Berufungsvision erfährt Jesaja (6, 1–4) Gott als den überwältigend Heiligen. Die Seraphe rufen: „Heilig, heilig, heilig ist Jahwe der Heerscharen." Heilig wird und ist, was der Heilige in seinen Bereich beruft und aufnimmt. Heilig sind die Himmel als Gottes Wohnung (Ps 46, 5) wie die himmlischen Heere (Sach 14, 5). Heilig ist der Tempel (Ps 5, 8), der Sion (Jes 27, 13), Jerusalem (Jes 52, 1). Heilig ist Israel als „Gottes Volk, zu eigen erworben aus allen Völkern, eine königliche Priesterschaft, ein heiliges Geschlecht" (Ex 19, 5f.). Heilige Gottes sind die Frommen alle (Lev 11, 44; Ps 85, 2). – Das deutsche Wort heilig bedeutet „des Heiles voll".

Die Heiligkeit wird sittliche Verpflichtung. „Ihr sollt heilig sein, wie ich heilig bin" (Lev 19, 2). Die Verpflichtung wird auch, und im späteren Judentum immer mehr, als kultische verstanden. Was Gottes und also heilig ist, darf nicht verletzt werden; so der Tempel, seine Priester, seine Geräte, wie besondere Tage (Lev 17–26). Die Lehrer Israels suchten das Heiligkeitsgesetz vom Tempeldienst und Priesterstand auf das ganze Volk zu übertragen. Da dieses den Forderungen nicht entsprach, galt es als „unheilig". – Als „Gottes heiliges Volk" (1QM 6, 6; 14, 12; 1QS 5, 13) wußte sich betont auch die Gemeinde von Qumran.

Auch im Neuen Testament ist Gott der Heilige. Im hohenpriesterlichen Gebet spricht Jesus ihn an (Joh 17, 11): „Heiliger Vater." Gott ist der Heilige in den Visionen der Apokalypse (Apk 3, 7; 4, 8; 6, 10). Der „Heilige Geist" (Apg 2, 4; Röm 15, 16) ist begriffen als personifizierte, dynamische Heiligkeit Gottes. Christus ist „der Heilige Gottes" (Mk 1, 24). Heilig ist nun die Kirche. „Christus hat sich für die Kirche dahingegeben, daß er sie heilige, die er gereinigt hat durch das Bad des Wassers im Wort, damit sie heilig sei und makellos" (Eph 5, 25–27). Die Christen sind „die Heiligen" (Röm

15, 26; 1 Kor 16, 1; 2 Kor 8, 4; Eph 1, 18; Kol 1, 2; Hebr 3, 1 Jud 3).
Sie sind die „berufenen Heiligen, die Geheiligten in Christus Jesus"
(1 Kor 2, 2). Der Geist wirkt in den Sakramenten der Kirche; in der
Taufe, die Wiedergeburt im Geist ist (Joh 3, 5), wie im Mahl, das
geistliche Speise und geistlicher Trank ist (1 Kor 10, 3 f.). Aus Gabe
und Werk Gottes folgt die sittliche Verpflichtung. Die Heiligkeit
der Kirche bedeutet als ihre Ausgrenzung aus der Welt die Trennung von ihrer Unreinheit und Sünde (1 Kor 3, 17). „Eure Herzen
mögen gefestigt werden, untadelig in Heiligkeit vor Gott, unserem
Vater, für die Ankunft unseres Herrn Jesus Christus mit allen seinen Heiligen" (1 Thess 3, 13). Die Heiligkeit der Kirche wird ver-
dorben durch heidnische Laster (1 Kor 5 u. 6; 2 Kor 6, 14–7, 1; Röm
6, 19. 22), wie aber auch durch Streit und Häresie (1 Kor 3). – In der
heutigen Kirche ist das Wort von der Heiligung und den Heiligen
eingeengt auf die durch besondere Tugenden ausgezeichneten und
kanonisierten Heiligen. Außerdem wird es nur von wenigen gebraucht. Man spricht vom „Heiligen Vater", vom „Heiligen Kollegium" (der Kardinäle).

6.1.3. Neuer Bund

Die Kirche weiß sich als der „Neue Bund". Israel verstand sich als
Volk des Bundes aufgrund der Bundesschlüsse Gottes mit Noah
(Gen 9, 8–18), Abraham (Gen 15, 18; 17, 2–10), den Vätern (Ex
6, 4), mit dem ganzen Volk am Sinai (Ex 24, 3–8) wie mit David
(2 Sam 7, 14–16). Der Bund wurde mit Opferblut besiegelt (Ex
24, 8; Sach 9, 11). Bund wird die Bezeichnung für die jüdische Religion einfachhin (Dan 11, 28–30). Israels Abfall und Schuld hebt den
Bund nicht auf. Gottes Bündnistreue hält ihn durch (Dtn 7, 9. 12;
1 Kön 8, 23; Hos 11, 4). Für die messianische Zeit ist ein „Neuer
Bund" verheißen, der nicht mehr nur äußere und rechtliche Satzung
ist, sondern in einem neuen Herzen und einem neuen Geist beste-
hen wird (Jer 31, 31–34). Es wird ein „ewiger Friedensbund" sein
(Jes 54, 10; Ez 37, 26). Ein ewiger Bund wird alle Völker umfassen
(Jes 55, 1–5). Der Gedanke des Bundes Gottes blieb lebendig.
Pfingsten wurde jährlich als Fest der Bundeserneuerung begangen.
In den Rollen von Qumran begegnet das Wort Bund oft. Die Ge-
meinde weiß sich als „ewiger Bund" (1QS 3, 11 f.; 4, 22; 5, 1 f.).
Das Neue Testament erinnert an die Bünde, die Gott mit den
Vätern geschlossen hat (Lk 1, 72; Röm 9, 4 u. ö.). Beim letzten Mahl

nimmt das Wort Jesu die Verheißung Jer 31, 31 auf und erklärt sie als erfüllt (1 Kor 11, 25; Lk 22, 20). Ein neuer Bund wird gestiftet. Auch er wird wie der einstige Bund im Blut geschlossen, jetzt im Blut Christi (Mk 14, 25; Lk 22, 20; 1 Kor 11, 25; Hebr. 10, 29). Das Neue Testament entwickelt eine Theologie des Neuen Bundes. Ist dies nun der „Neue Bund", so ist der frühere der „Alte Bund" (2 Kor 3, 14). Vom Neuen Bund aus betrachtet erscheint der Alte von minderem Wert. Der Alte Bund wirkte zur Knechtschaft, der Neue wirkt zur Freiheit (Gal 4, 24 f.). Jener war ein Bund des tötenden Buchstabens, dieser ist ein Bund des lebendigen Geistes (2 Kor 3, 6–18). Jetzt sind die Völker in „die Bünde der Verheißung" eingetreten (Eph 2, 12). Mannigfach und tief ist der Vergleich der Bünde im Hebräer-Brief. Das Gesetz war „ein Schatten der künftigen Güter, nicht das Bild der Dinge selbst" (Hebr 8, 6–13; 9, 1. 16–22; 10, 1).

6.1.4. *Volk Gottes*

Die Kirche weiß sich sodann als „Volk Gottes". Mit dem in der profanen Sprache wenig gebrauchten und wohl als feierlich empfundenen Wort Laos bezeichnet das griechische Alte Testament oft Israel als Volk Gottes, während die Völker der Heiden „Ethne" sind. Israel ist Gottes „Volk zum Eigentum" (Ex 19, 5; Dtn 7, 6). Es ist „heiliges Volk Gottes" (Ex 19, 6; Num 16, 3; Dtn 14, 2). Die Gemeinde von Qumran weiß sich als Gottes erwähltes Volk (1QM 1, 12; 10, 10. 19; 13, 7. 9). Auch im Neuen Testament ist Israel „Volk Gottes" (Mt 1, 21). Gott hat sich seines Volkes angenommen, indem er den Propheten Jesus sandte (Lk 7, 16). Auch die Kirche trägt nun den Ehrentitel „Gottes Volk" (Apg 15, 14; Röm 9, 25; 2 Kor 6, 16), „Volk des Eigentums" (Tit 2, 14; 1 Petr 2, 9) zu sein. Kirche ist das wandernde Volk Gottes, das in die Sabbat-Ruhe eingehen darf (Hebr 4, 9). Gottes Volk wird die Kirche endlich in der endzeitlichen Vollendung sein (Apk 18, 4; 21, 3). Im Titel Volk Gottes sind Israel und Kirche das eine, große Volk der Erwählung.

Ein weiterer Name der Kirche, „Leib Christi" (Eph 1, 23; 4, 4), stammt nicht aus Israel, sondern aus der griechischen Umwelt, wohl aus der Gnosis.

6.2. Ämter

Campenhausen, H. von: Kirchliches Amt und geistliche Vollmacht in den ersten drei Jahrhunderten (BHTh 19). 1953. *Dautzenberg, G.:* Urchristliche Prophetie. 1975. *Delorme, J. (éd.):* Le ministère et les ministères selon le Nouveau Testament. 1974. *Greeven, H.:* Propheten, Lehrer, Vorsteher bei Paulus, in: ZNW 44 1952/53, 1–43. *Hoet, R.:* Omnes autem Vos Fratres estis. Études du concept ecclesiologique des «frères» selon Mt 23, 8–12 (Analecta Gregoriana 323). 1982. *Käsemann, E.:* Amt und Gemeinde im Neuen Testament, in: Ders., Exegetische Versuche und Besinnungen 1. 4. Aufl. 1969, 109–134. *Kertelge, K.:* Gemeinde und Amt im Neuen Testament. 1972. *Schelkle, K. H.:* Charisma und Amt. in: Ders., Die Kraft des Wortes. 1983, 209–232. *Schmithals, W.:* Das kirchliche Apostelamt. Eine historische Untersuchung (FRLANT 79). 1961. – *Kertelge, K. (Hrsg.):* Das kirchliche Amt im Neuen Testament (WdF 439). 1977. *Zimmermann, H. C.:* Die urchristlichen Lehrer. Studien zum Tradentenkreis der Didaskaloi im frühen Urchristentum (WUNT 2, 12). 1984.

Ämter und Amtsträger der Kirche sind zu einem erheblichen Teil nach dem Alten Testament benannt, bekunden also wieder dessen Geschichte in der Kirche.

6.2.1. Apostel

Aus Israel stammt ein Kollegium der zwölf Apostel. Israel war nach der Landnahme als ein Volk von zwölf Stämmen organisiert (Gen 35, 22; 49, 28). (Die in der Zeitberechnung bis heute nachwirkende Zahl zwölf ist – unerklärtes – babylonisches Erbe.) Die Einteilung Israels in zwölf Stämme mag den Grund darin haben, daß dieses um ein Heiligtum (die Heilige Lade?) wohnte und je ein Stamm je einen Monat abwechselnd in einem Jahr Dienst am Heiligtum hatte. Zur Zeit Jesu waren die zwölf Stämme längst keine Wirklichkeit mehr, sondern nur noch ideale, geschichtliche Erinnerung. Die auf das 1. Jh. v. Chr. zurückgehende Schrift ›Die Testamente der zwölf Patriarchen‹ lebt eben aus dieser Erinnerung. Wenn in Qumran zwölf Männer und drei Priester den Rat der Gemeinde bildeten (1QS 8, 1), stellten die zwölf Männer wohl die Stämme Israels dar, drei Priester die Gemeinschaften der Söhne Levis (Num 3, 12).

Sicherlich mit Bezug auf die zwölf Stämme Israels wählte Jesus zwölf Männer aus, die er als Boten zu Israel sandte (Mt 10, 5f.). Er verheißt ihnen (Mt 19, 28): „Ihr werdet in der Wiedergeburt, wenn der Menschensohn auf dem Thron seiner Herrlichkeit sitzen wird, auch auf zwölf Thronen sitzen, um die zwölf Stämme Israels zu richten." Die Verheißung benützt die alte Vorstellung vom himmlischen Thron Jahwes (Jes 6, 1; 66, 1; Jer 17, 12 f.). Der Name Apostel (= „Gesandter", „Bote") hat seinen Grund im Alten Testament, in dem Gott seine Boten sendet (Ex 3, 10–15; 1 Sam 4, 17). Der Name stammt von Jesus wenigsten insoweit, als er die Jünger „aussandte" (Mt 10, 16). Lk 6, 13 sagt mit sachlichem Recht, daß Jesus die zwölf „Apostel" nannte. Das konkrete griechische Wort apostolos ist der profanen Gräzität entnommen, wo es zunächst ausgesandte Gemeinschaften bedeutet. In der Gnosis etwa bezeichnet das Wort am ehesten einzelne Boten. Die Zwölf haben nach Mt 19, 28 zunächst eine apokalyptische Funktion, nicht auch schon Auftrag und Amt in einer irdisch-zeitlichen Kirche. Dieses Amt haben Apostel aber dann inne bei vielen Nennungen in der Apostelgeschichte und in den Briefen.

6.2.2. Älteste

Ein anderer Titel, der aus jüdischer in christliche Kirchenverfassung überging, war *presbyteros* (der Ältere, der Älteste). Als Übersetzung von *saken* bezeichnete das Wort in der LXX den an Jahren älteren, etwa als Familien- oder Stammeshaupt. Auf Befehl Jahwes wurde ein aus 70 Mitgliedern bestehender Rat der Ältesten gewählt (Num 11, 16. 24). Ältester wurde dabei Ehrentitel für den Träger eines angesehenen Amtes (Ex 3, 16–22; Num 11, 16; 2 Sam 3, 17 u. ö.). Nach dem Exil bildete der Ältestenrat die oberste jüdische Behörde in Jerusalem (Esra 2, 70; Joel 1, 14; 2, 16). Im späteren Sanhedrin (Synedrium) waren die „Ältesten" die Laien neben den Priestern und den Schriftgelehrten. In den Ortsgemeinden bildeten sieben Älteste den Vorstand der Synagoge (Lk 7, 3). In den Evangelien erscheinen Älteste bisweilen auf der Seite Jesu (Lk 7, 3–6); meist aber sind sie Gegner Jesu (Mk 8, 31; 11, 27), besonders in der Leidensgeschichte Jesu (Mt 26, 3; 27, 1. 3. 12. 41). – In der Gemeinde von Qumran hatten die Ältesten als Laienvertreter den ersten Platz nach den Priestern inne (1QS 6, 8–10).

Offenbar nach synagogalem Vorbild wurden auch in judenchristlichen Gemeinden, wohl durch Wahl, Älteste als Vertreter der Gemeinden bestellt. Sie sind wiederholt genannt als maßgeblicher Rat der Kirche in Jerusalem (Apg 11, 30; 15, 2–29; 21, 18). Die Ältesten sind Seelsorger (Jak 5, 14) und Hirten der Gemeinde (1 Petr 5, 1–4).

Nach der Apostelgeschichte (14, 21–25) haben Paulus und Barnabas in den Gemeinden Älteste bestellt. Auch in den Pastoralbriefen sind Älteste Vorsteher der Gemeinden (1 Tim 4, 14; 5, 17; Tit 1, 5). Dies ist wohl so zu erklären, daß spätere Gemeindeordnung in die Zeit des Paulus zurückdatiert wird. Paulus selbst nennt als Vorsteher „Bischöfe und Diakone" (Phil 1, 1). Vom griechischen Wort leiten sich über das kirchenlateinische Wort Presbyter die Wörter Prêtre, Priester her. Das ursprüngliche Verwaltungsamt der Ältesten nahm dabei kultischen Gehalt auf.

6.2.3. Priester

In Israels Geschichte und Gegenwart war das Priestertum von großer Bedeutung (III. 1.). Es erfüllte sich im Neuen Testament. Zwar gebraucht das Neue Testament von Amtsträgern der Kirche nie den Titel Priester *(hiereus)*. Das Wort war der christlichen Gemeinde als Bezeichnung eines einzelnen Amtes durch jüdische wie heidnische Religion bekannt und allzusehr durch eigenmächtiges und magisches, menschliches Handeln belastet. Erst im 2. und 3. Jahrhundert werden kirchliche Amtsträger als Priester bezeichnet. Es muß jedoch bedacht werden, daß sich Paulus als Priester erfährt. Er ist „Liturge des Christus Jesus für die Völker, der des Evangeliums Gottes priesterlich waltet, damit das Opfer der Völker angenommen werde, geheiligt im Heiligen Geist" (Röm 15, 16).
Der Hebräer-Brief (2, 17; 4, 14–5, 10; 7, 15–8, 6; 9, 11; 9, 24 f.; 13, 12) beschreibt ausführlich Christus als den wahren Hohenpriester, der das alttestamentliche Priestertum und alles Priestertum erfüllt. Er ist Priester nicht aus dem priesterlichen Stamm Levi, sondern aus dem Stamm Juda (7, 14). Alttestamentliches Priesterrecht und seine Ordnung sind vergangen. Alles Priestertum überhaupt ist beendet, weil vollendet. Das Priestertum Christi begründet das gemeinsame Priestertum der Gemeinde (13, 15). Von diesem Priestertum der Kirche sprechen auch 1 Petr 2, 5.9 und Apk 1, 6; 5, 10; 20, 6. In diesen Texten wird das gemeinsame Priestertum mit Ex 19, 6 beschrieben. Das Priesteramt gewann in der Kirche wesentliche Bedeutung. Es ist als Erfüllung des Alten Testaments begriffen. Dieses lebt auch hier in der Kirche fort.

6.2.4. Propheten

In der Geschichte Israels haben Propheten größte Bedeutung gehabt. Prophet (von *prophemi*, eigentlich: heraussagen, verkünden; dann auch: vorhersagen) bedeutet Verkünder oder Weissager. Propheten waren auch Ekstatiker (1 Sam 10, 9–13; 19, 18–24; 1 Kön 18; 19; 22). Frauen waren angesehene Prophetinnen (Ex 15, 20; Ri 4, 4). Propheten, deren Worte in Schriften erhalten sind, sind die „Schriftpropheten". Im Alten Testament stehen als großartige religionsgeschichtliche Denkmäler 16 (17) „Bücher der Propheten".

Propheten und Prophetentum des Alten Testaments sind im Neuen Testament oft genannt und anerkannt (Mt 1, 22 f.; 3, 3 f.; 4, 14 f.; 8, 17; 12, 17–21; 13, 35; 21, 4 f.; 26, 56; Apg 2, 16; 3, 24; 7, 42; 10, 43; Röm 1, 2; 3, 21; 16, 26; Hebr. 1, 1; Jak 5, 10; 1 Petr 1, 10; 2 Petr 3, 2). Nach damaliger jüdischer Meinung war die Prophetie freilich erloschen (Ps 74, 9). Dies ist beispielhaft 1 Makk 4, 46 gesagt. Um so bedeutsamer ist es, wenn das Neue Testament ein gegenwärtiges und künftiges sehr reiches Prophetentum in der Kirche kennt. An der Schwelle vom Alten zum Neuen Testament stehen als Propheten Zacharias (Lk 1, 67) und Hanna (Lk 2, 36). Johannes der Täufer wird als Prophet bezeichnet (Mt 11, 9–13; Mk 11, 32; Joh 1, 21). Jesus selbst wird als Prophet gehört und angenommen (Mk 6, 15; 8, 28; Mt 21, 11; Lk 7, 16; Joh 4, 19) (IV. 1. 1.). Nach Apg 2, 4 und 4, 31 wird die ganze Gemeinde mit prophetischem Geist erfüllt. Propheten werden in der Gemeinde zu Jerusalem die Führer (Apg 15, 22. 32). In der Liste der kirchlichen Ämter werden die Propheten nachdrücklich an vorderster Stelle genannt (1 Kor 12, 28 f.; Eph 2, 20; 4, 11; Apg 13, 1; Apk 18, 20). Paulus gibt der Prophetie vor allen anderen Geistesgaben den Vorzug (1 Kor 14, 1). Er selbst redet prophetisch, Gottes Geheimnisse offenbarend (Röm 16, 26), sowie mahnend und tröstend zur Gemeinde (1 Kor 14, 6). 1 Kor 11, 4 f. haben Männer und Frauen im Gottesdienst gleichen Auftrag der prophetischen Rede. In der Apokalypse (11, 18; 16, 6; 18, 24) sind die Propheten eine tragende Einheit. Sie stehen in unmittelbarem Verhältnis zu Gott, Christus und den Engeln (Apk 22, 9). Was bislang verborgen war, ist nun „den heiligen Aposteln und Propheten im Geist offenbart" (Eph 3, 5). Die Kirche ist für immer begründet auf dem „Fundament der Apostel und Propheten" (Eph 2, 20). Die Reihenfolge Apostel und Propheten läßt dabei erkennen, daß die Propheten nicht etwa alttestamentliche, sondern neutestamentliche Propheten sind. Die Propheten sind dann auch in der Didache (10, 7; 13, 1–7) hoch angesehen. Sie sind „Hohepriester" der Kirche, die – offenbar ohne die sonst geforderte priesterliche Ordination – Eucharistie feiern dürfen. Es wäre doch ein großer Verlust, wenn das Prophetentum, das in alter und neuer Gemeinde so große Bedeutung hatte, nun als erloschen erscheinen müßte.

6.2.5. Lehrer

Mit den Propheten wirken in der Kirche Lehrer. In ihnen setzt sich das in Israel sehr angesehene Amt der Schriftgelehrten und Rabbinen fort (III. 3.). Jesus empfängt oft den Titel Rabbi, Lehrer (Mk 9, 5; Mt 23, 10; Joh 3, 2). In der Tat konnte Jesus im Kreis seiner Jünger mit einem Rabbi verglichen werden. Jesus selbst sandte seine Jünger aus, zu lehren, sowohl zu seiner Zeit (Mt 10, 7; Mk 6, 30), als auch nach der Erhöhung (Mt 28, 20). Trotz des Gegensatzes zu den jüdischen Schriftgelehrten sagt Jesus, daß es die Möglichkeit und Wirklichkeit eines neuen und echten Schriftgelehrten gibt. „Jeder Schriftgelehrte, der für das Königreich der Himmel unterrichtet, ist einem Schriftgelehrten gleich, der aus seinem Schatz Neues und Altes hervorholt" (Mt 13, 52). Das Neue ist das Evangelium, das Alte die bisherige Überlieferung Israels. Die neuen Schriftgelehrten wirken auch in jedem Schriftbeweis, der nun christologisch gefunden wird. Wenn „binden und lösen", das der Gemeinde aufgetragen ist (Mt 16, 19; 18, 18), bedeutet Bindung durch das Gesetz oder Freiheit von diesem, so werden hier Schriftgelehrte der Kirche tätig. Mt 23, 8. 10 untersagt jedoch in der Jüngergemeinde die Titel Rabbi und Lehrer. „Einer ist euer Meister, euer Lehrer, Christus." Dieses Wort setzt wohl voraus, daß – nach jüdischer Übung – solche Titel sich auch in der jungen Kirche gebräuchlich machten, was jedoch von anderen abgelehnt wurde. Das Lehrtum Christi war so ganz unvergleichlich und außerordentlich. Offenbar mit diesem Vorbehalt nahmen in der nachösterlichen Kirche allenthalben Lehrer dieses Amt wahr, sowohl in der Apostelgeschichte (4, 18; 13, 1) wie in den Briefen (Röm 12, 7; 1 Kor 12, 28; Kol 1, 28; Eph 4, 21; 2 Thess 2, 15; 1 Tim 4, 11). Jak 3, 1 mahnt: „Werdet nicht viele Lehrer; ihr wisset doch, daß wir ein strengeres Urteil empfangen werden." Der Briefschreiber ist selbst Lehrer. Seine Mahnung läßt erkennen, daß der Lehrberuf in der christlichen Gemeinde begehrt war. Er trug Ansehen und Vergütung ein (1 Kor

9, 6 f.). Die Mahnung mag erinnern an Sprüche der Väter 1, 11: „Ihr Weisen, seid vorsichtig mit euren Lehren. Ihr möchtet euch sonst Schuld zuziehen."

6.2.6. Hirten

Im Alten Testament ist Gott der Hirt Israels (Gen 49, 24; Ps 23). An Gottes Statt wird der Messias wahrer Hirt sein (Jer 3, 15; Ez 34, 23 f.). So ist denn auch im Evangelium Jesus der messianische Hirt (Mt 15, 24; Joh 10, 1–18; 1 Petr 2, 25; 5, 4; Hebr 13, 20). In der christlichen Gemeinde werden die Amtsträger als Hirten bezeichnet (Joh 21, 15–17; Apg 20, 28; Eph 4, 11). In der kirchlichen Sprache haben Titel und Amt Hirt und Oberhirt reiche Entwicklung und Verwendung gefunden.

6.2.7. Ursprünglich profane Amtstitel

Andere Amtstitel der Kirche wurden der profanen Sprache der Umwelt entnommen. So die Bezeichnungen Episkopen = Bischöfe, Diakone, Vorsteher. Die antike Gesellschaft kannte Episkopen (Aufseher) und Diakone (Diener) als Amtsträger. Danach werden auch in der griechischen Bibel als Episkopen bezeichnet Vögte (Ri 9, 28; 1 Mak 1, 51), Tempelaufseher (Num 4, 16; 2 Kön 11, 18), Vorsteher der Priester (Neh 11, 9). In der Gemeinde von Qumran hatte der Mebaqqer (= Aufseher) ein bedeutsames Amt inne. Die Frage ist, ob das Amt des Mebaqqer irgendwie Vorbild des bischöflichen Amtes war. Der Titel Bischof mag über das griechische Alte Testament in die Kirche gelangt sein. Offen mag bleiben, ob Titel wie Diakone (Phil 1, 1; 1 Tim 3, 8–11), Vorsteher (1 Thess 5, 12 f.; 1 Tim 5, 17), Führende (Hebr 13, 7. 17), welche Namen sowohl in der profanen wie in der biblischen Gräzität erscheinen, in ähnlicher Weise über die hellenistische Synagoge in das Neue Testament und in die Kirche eingeführt wurden.

6.3. Kultische Feiern

Delling, G.: Die Taufe im Neuen Testament. 1963. *Ders.:* Wort Gottes und Verkündigung im Neuen Testament (SBS 53). 1971. *Ebeling, G.:* Wort und Glaube. 3. Aufl. 1967. *Feld, H.:* Das Verständnis des Abendmahles (EdF 50). 1976. *Feld, H. – Nolte, J.:* Wort Gottes in der Zeit. 1973. *Fries, H. (Hrsg.):* Wort und Sakrament. 1966. *Gnilka, J.:* Das Gemeinschaftsmahl der Essener (BZ, NF 5), 1967, 39–55. *Jeremias, J.:* Die Abendmahlsworte Jesu. 2. Aufl. 1967. *Patsch, H.:* Abendmahl und historischer Jesus. 1972. *Porsch, F.:* Pneuma und Wort. Ein exegetischer Beitrag zur Pneumatologie des Johannesevangeliums (Frankfurter theol. Studien 16). 1974. *Scheffzyk, K.:* Von der Heilsmacht des Wortes. 1966. *Schelkle, K. H.:* Die Kraft des Wortes. Beiträge zur biblischen Theologie. 1983. *Semmelroth, O.:* Vom Sinn der Sakramente. 1960. *Schlink, E.:* Die Lehre von der Taufe. 1969. *Schnelle, U.:* Gerechtigkeit und Christusgegenwart. Vorpaulinische und paulinische Tauftheologie (Göttinger theolog. Arbeiten 24). 1983. *Wolf, R.:* Aqua religiosa. Die religiöse Verwendung von Wasser im frühen Christentum und seiner Umwelt. Maschinenschriftl. Diss. Leipzig 1956.

Das Neue Testament – und danach die Kirche – begeht zwei wesentliche kultische Feiern: Taufe und Mahl. Beide stammen von Israel her.

6.3.1. Taufe

Bei vielen Völkern werden in Flüssen heilige Bäder genommen. Der Sinn ist unschwer zu erkennen. Wasser erfrischt und stärkt, reinigt und läutert. Es nährt das Leben von Pflanzen, Tieren und Menschen. So übte auch Israel viele kultische Waschungen und Bäder. Vor dem Tempeldienst nahmen Priester (Ex 29, 4) wie Leviten (Num 8, 6 f.) kultische Bäder, wie auch das Volk (Dtn 23, 11). In Qumran brachten die Ausgrabungen ein ausgedehntes Netz kultischer Badeanlagen zutage. Die dortigen Schriften verlangen vielfach Bäder (1QS 5, 13; Damaskusschr. 9, 21–23; 10, 10. 13). Wahre Reinigung geschieht freilich erst durch Erfüllung des Gesetzes (1QS 3, 4–9). Vom 1. Jh. n. Chr. an bezeugt, aber wohl schon früher geübt, ist die Proselytentaufe als eine Selbsttaufe, der sich die Heiden unterzogen, die in die Gemeinschaft Israels eintreten wollten. In einer viele erfassenden Taufbewegung spendete Johannes der Täufer die Taufe am Jordan (Mk 1, 4). In der christlichen Gemeinde wurde von Anfang an die Taufe gespendet. So verlangt Petrus in der ersten Verkündigung, der Predigt an Pfingsten, die Annahme der Taufe (Apg 2, 38). Auch Paulus setzt die christliche Taufe voraus (Röm 6, 3; 1 Kor 1, 14; Gal 3, 27). Seine Briefe geben vertiefende Deutungen der Taufe (Röm 6, 5–11; 1 Kor 6, 11; 12, 12 f. Gal 3, 26–28). Die Gemeinde begründet die allgemeine

Übung der Taufe im Taufbefehl des auferstandenen und scheiden-
den Christus (Mt 28,19f.): „Gehet hin und machet alle Völker zu
Jüngern, indem ihr die Menschen taufet auf den Namen des Vaters
und des Sohnes und des Heiligen Geistes." Das ausgebildete trinita-
rische Bekenntnis läßt bereits dogmatische Formulierung nach längerer Lehrentwicklung erkennen (IV. 2. 2.). Das Matthäus-Evangelium mag um 90 geschrieben sein. Der Text Mt 28,19f. spiegelt die
Taufpraxis der Kirche wider.

6.3.2. Mahl

Ein anderer Teil des Gottesdienstes ist das Mahl. Dieses hatte,
bewußt und feierlich begangen, von früh an religiöse Gestalt. Die
Speisen wurden mit Dank empfangen als Gabe Gottes, und die
Gottheit wurde beim Mahl als anwesend gedacht. Auch das Alte
Testament beging kultische Mähler. Mose, Aaron und die Ältesten
halten Opfermahl vor Jahwe, ja mit ihm (Ex 18,12; 24,11). Die
Priester begehen im Tempel tägliche Opfermahle (Lev 2, 2f.; 3;
6, 14–29 u. ö.). Ein festliches Mahl ist jährlich das Passamahl als Er-
innerung an das Mahl beim Auszug aus Ägypten (Ex 12, 3–20). Ur-
sprüngliche Nahrung des Menschen sind Brot und Wein. Schon
Melchisedek bringt Abraham Brot und Wein als erstes Mahl aus der
Stadt und dem Tempel mit (Gen 14,18). In Qumran wird die
tägliche Hauptmahlzeit als kultisches Mahl gefeiert. Nach einem
Tauchbad kleiden sich die Teilnehmer in weißes Leinen. Ein Priester spricht den Segen über Brot und Wein (1QS 6, 2–5.20f.).
Nachdem Jesus oft Mahl mit den Jüngern gehalten hatte, feierte er
am Abend vor seinem Hingang ein letztes Mahl mit Brot und Wein
in Gemeinschaft mit den zwölf Aposteln (1 Kor 11, 23–25; Mk
14, 22–25). Die Berichte sind nicht rein historisch, sondern
liturgisch stilisiert. Sie setzen schon die Wiederholung in der Gemeinde voraus. Dabei werden gebrochenes Brot und verströmender
Wein gedeutet als Zeichen der Hingabe des Leibes und des Blutes
Christi.

6.3.3. Gottesdienst

Von früh an wurden in Israel in feiernden Gemeinschaften Gebote und Rechtsordnungen verlesen (Ex 24, 7; Jos 24, 25f.). Seit

Esra (im 5. Jh. v. Chr.) war die Lesung ein Hauptbestandteil des Gottesdienstes, wobei die Auslegung das Gelesene erklärte (Neh 8). Eine Synagoge in Jerusalem trug die Inschrift: „Synagoge zur Verlesung des Gesetzes." So liest auch Jesus in der Synagoge die Schrift und erläutert den Text (Lk 4, 16). Die gleiche Ordnung ist Apg 13, 27; 15, 21; 2 Kor 3, 14 f. bezeugt. In dieser Weise wurden auch Briefe eines Apostels vorgelesen (1 Thess 5, 27; Kol 4, 16). Daneben wird private Lesung der Schrift geübt (Mk 2, 25; 12, 10 u. ö.). Gemäß dieser Ordnung feiert die Kirche bis heute ihren Gottesdienst als Mahl mit Lesung und Erklärung der Heiligen Schrift.

Während und zum Schluß der Feier wurde im jüdischen Gottesdienst (Ex 17, 11 f.; Num 6, 2–27; Ps 118, 26; 129, 8) und wird im christlichen Gottesdienst der Segen erteilt. Im christlichen Jahr und im Gottesdienst ist – über neutestamentliche Anfänge – ein mannigfaches Erbe aus Israel wirksam. Die Feste Passa (Ostern) und Erntefest am 50. Tage danach (Pfingsten) setzen jüdische Festtage fort. Amen (= So sei es), Hosanna (= Hilf doch; Ps 118, 25), Halleluja (= Preiset Jahwe; Halleluja-Psalmen 104–150) stammen aus dem Gottesdienst der Synagoge. Das Gebet „Unser Vater" (Mt 6, 9–13; Lk 11, 2–4; Didache 8, 2) kann nach den Worten und dem Geist aus jüdischer Frömmigkeit und Gebetsübung erklärt werden.

7. Vollendung

Berger, K. H.: Die Auferstehung der Propheten und die Erhöhung des Menschensohnes. 1961. *Bietenhard, H.:* Die himmlische Welt im Urchristentum und Spätjudentum. 1951. *Brandenburger, E.:* Das Recht des Weltenrichters. Untersuchung. zu Matthäus 25, 31–46 (SBS 99). 1980. *Bultmann, R.:* Geschichte der Eschatologie. 2. Aufl. 1964. *Charles, R. H.:* Eschatology. The Doctrine of a Future Life in Israel, Judaism and Christianity. 2. Aufl. 1963. *Fiedler, P. – Zeller, D. (Hrsg.):* Gegenwart und kommendes Reich (FS A. Vögtle). 1975. *Flender, H.:* Die Botschaft Jesu von der Herrschaft Gottes. 1968. *Gräßer, E.:* Das Problem der Parusieverzögerung in den synoptischen Evangelien und in der Apostelgeschichte (ZNW, Beih. 22). 3. Aufl. 1977. *Ders.:* Die Naherwartung Jesu (SBS 61). 1973. *Grélot, P.:* L'espérance juive à l'heure de Jésus. 1978. *Hoffmann, P.:* Die Toten in Christus. Eine religionsgeschichtliche und exegetische Untersuchung zur paulinischen Eschatologie (NtlAbh NF 2). 3. Aufl. 1978. *Kellermann, U.:* Auferstanden in den Himmel. 2 Makk 7 und die Auferstehung der Toten. 1979. *Koch, K.:* Ratlos vor der Apokalyptik. 1970. *Koch, K. – Schneider, J. M. (Hrsg.):* Apokalyptik (WdF 365). 1982. *Lambrecht, J. (éd):*

L'Apocalypse johannique et l'Apocalyptique dans le Nouveau Testament (BiblEphTheolLov 53). 1980. *Lapide, P.:* Auferstehung, ein jüdisches Glaubenserlebnis. 1977. *Liedke, G. (Hrsg.):* Eschatologie und Friede. 3 Bde. 1978. *Marguerat, D.:* Le jugement dans l'Evangile de Matthieu. 1981. *Moltmann, J.:* Theologie der Hoffnung. 1964. *Nocke, F. J.:* Eschatologie (Leitfaden d. Theologie 6). 1982. *Pervin, N.:* The Kingdom of God in the Teaching of Jesus. 1963. *Preuß, H. D.:* Eschatologie im Alten Testament (WdF 480). 1978. *Radl, W.:* Ankunft des Herrn. Zur Bedeutung und Funktion der Parusieerwartung bei Paulus (B. z. Bibl. Exegese u. Theol. 15). 1981. *Rowley, H. H.:* Apokalyptik. Übers. 3. Aufl. 1965. *Schelkle, K. H.:* Vollendung von Schöpfung und Erlösung (Theol. d. N. T. 4/1). 1976. *Schlosser, J.:* Les Logia du Règne. Étude sur le vocable « Basileia tou theou » dans la prédication de Jésus. Diss. Strasbourg 1982. *Schmidt, J. M.:* Die jüdische Apokalyptik. Die Geschichte ihrer Erforschung von den Anfängen bis zu den Texten von Qumran. 1969. *Schmithals, W.:* Die Apokalyptik. Einführung und Deutung. 1973. *Schnackenburg, R.:* Gottes Herrschaft und Reich. 3. Aufl. 1963. *Ders. (Hrsg.):* Zukunft. Zur Eschatologie bei Juden und Christen (Schriften d. Kathol. Akademie Bayern 98). 1980. *Schottroff, L.:* Der Glaubende und die feindliche Welt. 1970. *Schreiner, J.:* Altjüdische Apokalyptik. Eine Einführung (Bibl. Handb. 6). 1959. *Sternberger, G.:* Der Leib der Auferstehung. Anthropologie und Eschatologie des palästinensischen Judentums in neutestamentlicher Zeit. 1972. *Stuhlmann, R.:* Das eschatologische Maß im Neuen Testament (FRLANT 117). 1983. *Vögtle, A.:* Das Neue Testament und die Zukunft des Kosmos. 1970. *Wiederkehr, P.:* Perspektiven der Eschatologie. 1974. *Wilckens, U.:* Auferstehung. Das biblische Auferstehungszeugnis historisch untersucht und erklärt (Themen d. Theologie 4). 1970. *Zedda, S.:* L'eschatologia biblica. 1. Antico Testamento e Vangeli Sinottici. 1972. *Zedtwitz, P. von:* Auferstehung Jesu. Bild für die einzigartige Wiederherstellung und Rehabilitation Jesu durch Gott. Diss. Freiburg i. Br. 1980. Überdies: *Strack-Billerbeck:* Kommentar, 4/2, 799–1212.

Zu den schwersten Fragen aller Zeiten, ihrer Kulturen und Religionen gehören jene über Möglichkeit und Weise einer bleibenden und endgültigen Zukunft. Es braucht kaum gesagt zu werden, daß alle Aussagen über die Zukunft eines Jenseits nur bildliche sein können. Jene „Welt" ist ohne Raum und Zeit. Wir erleben alles in Raum und Zeit, und diese Umstände sind in allen unseren Vorstellungen und Aussagen mitenthalten. Die Aussagen über eine gänzlich unanschauliche Welt können sinnhaft sein, wenn sie verstanden werden als existentiale Aussagen einer Hoffnung.

7.1. Tod und Leben (Auferstehung)

Überlegungen und Sehnsüchte gehen über den Tod hinaus in ein anderes Leben. In Israels früher Welt- und Lebensanschauung führte der Tod unwiderruflich in die Unterwelt der *scheol*. (Das Wort bedeutet wohl „nie befriedigte Forderung".) Die Toten leben hier ein aufs äußerste vermindertes, schattenhaftes Dasein, das wohl einmal ganz aufhört. „Nicht preist dich die Unterwelt, nicht lobt dich der Tod; nicht harren, die zur Grube hinuntergefahren, auf deine Treue. Der Lebende, der Lebende allein lobt dich" (Jes 38, 18 f.). Spätere Psalmen richten die Zuversicht auf, daß der Fromme, der einmal in Gottes Gnade und Gemeinschaft aufgenommen war, nie daraus entlassen wird (Ps 63, 4; 73, 24; 138, 8). Ezechiel (37, 1–14) schaut und beschreibt in einer großartigen Vision die Wiederbelebung einer Ebene voller Totengebeine als eine neue Zeit Israels. Die – nachexilische – Apokalypse des Buches Jesaja (24–27) schreitet fort zur Hoffnung und Gewißheit der Auferstehung der Toten: „Leben sollen meine Toten, meine Leichname auferstehen" (Jes 26, 19). „Vernichten wird Gott den Tod für immer" (Jes 25, 8). Das Neue Testament wiederholt diesen Satz als eigene Verkündigung (1 Kor 15, 54; Apk 21, 4). Daniel (12, 2) erwartet eine Totenauferstehung, die Gute und Böse scheidet. Die Kämpfer und Märtyrer der Makkabäerzeit sprechen mit Gewißheit den Glauben an Auferstehung und ewiges Leben aus (2 Makk 7, 14–36; 12, 43–45). Zahlreich sind außerkanonische Zeugnisse einer Auferstehungshoffnung (ÄthHen 51; 92; PsSal 3, 13–16; 4 Esra 5 (7), 31 f.; so auch die Rollen von Qumran 1 QH 11, 12 f.). Nach Syr ApKBar 50, 2–4; 51, 1–5) werden die Toten zu ihrer früheren Gestalt auferweckt. Das Aussehen der Sünder wird verdüstert sein, das der Gerechten verklärt.

Im Neuen Testament erscheint die Totenauferstehung als Streitfrage zwischen den Sadduzäern, die die Totenauferstehung leugnen, und den Pharisäern, die sie behaupten (Mk 12, 18–27; Apg 23, 6–9; s. III. 2. u. 4.). Jesus anerkennt in diesem Streit den Glauben der Pharisäer, indem er einen Schriftbeweis gibt, der wohl Glaubensdiskussion erkennen läßt. Die Auferweckung Christi ist neuer Grund des Auferstehungsglaubens, was Paulus (1 Kor 15; 2 Kor 5, 1–10) ausführlich darstellt. Im Johannes-Evangelium (3, 18. 36; 11, 24–26) geschieht die Auferstehung schon jetzt im Vollzug des Glaubens. Jedoch ist auch die Auferstehung „am Jüngsten Tage" festgehalten (Joh 5, 28 f.; 6, 39 f.). Heutige Dog-

matik sucht das biblische Erbe des Auferstehungsglaubens auszu-
legen.

Nach der Totenauferstehung schaut die prophetische Vision die
allgemeine Völkerwallfahrt zum Sion (Jes 2, 2–4; Micha 4, 1–4, wie
Mt 8, 11 f. = Lk 13, 28 f.).

Einzelne apokalyptische Anschauungen und Erwartungen Israels
wurden bereichert durch die Vorstellungen seiner Umwelt. Viele
Texte und Bilder in ägyptischer Religion zurück bis in das 3. Jahr-
tausend stellen das Totengericht dar. Die iranische Religion entwickelte von Zarathustra an (um 600 v. Chr.) bis in die christliche
Zeit vielfache Anschauungen von Gericht, Strafe und Lohn in einer
jenseitigen Welt. Das Judentum hat hiervon, zumal es ja lange Zeit
unter persischer Oberhoheit lebte, Einflüsse erfahren. Auch das
Griechentum hat, vermutlich über die Orphik, östliche Motive
aufgenommen. Platon schildert in drei Dialogen (Gorgias
523 A–527 A; Phaidon 113 D–114 A; Staat 614 B–614 D) das Totengericht. Von tiefster Nachwirkung wurde der Glaube von der
Unsterblichkeit der Seele. Dieser Glaube war schon der Orphik wie
den eleusinischen Mysterien vertraut. Doch wohl in ihrer Weiter-
wirkung trägt Platon im Dialog Phaidon die philosophisch-theolo-
gische Lehre von der Unsterblichkeit der Seele vor. „Das Sterbliche
am Menschen stirbt im Tod, das Unsterbliche zieht heil und wohl-
behalten dahin." Die griechische Übersetzung des Alten Testaments erklärt die Schöpfungsgeschichte danach. Gott haucht dem
Menschen die „Seele" ein (Gen 2, 7). Das hellenistische Judentum
führte diese Lehre weiter. „Der vergängliche Leib beschwert die
Seele und das irdische Zelt belastet den vielsinnenden Geist"
(Weish 9, 15). Der Mensch als Verschiedenheit und Einheit in Leib
und Seele ist christliche Lehre geworden. Dadurch sind Altes Testament und Platon immer und gültig verbunden.

7.2. Gericht

Zwischen Gegenwart und Zukunft diesseits und jenseits ereignet
sich das Gericht. Totengericht und Weltgericht, Ewigkeit als Himmel und Hölle werden im Alten Testament, zumal ausführlich in
der frühjüdischen Apokalyptik zur Zeit des Neuen Testamentes
(Jubiläen, PsSal, 4 Esra, ÄthHen, SyrApkBar, Schriften vom Qumran) dargestellt. Das Weltgericht ist geschildert 4 Esra (5) 7; Äth-
Hen 1–5; 45–47; 55; 90. Das Neue Testament folgt dem, doch nur

zögernd und mit Vorbehalt. Worte Jesu weisen mit großem Ernst auf das belohnende und strafende Gericht voraus (Mt 5, 21 f. 27–30; 7, 13–19). In der Beispielerzählung vom reichen Prasser und armen Lazarus (Lk 16, 19–30) erfolgt sogleich nach dem Tod die Entscheidung. Die Erzählung schildert das Jenseits nach üblicher Vorstellung. Dies geschieht ebenso Mt 22, 11–14 im Wort über „die Finsternis draußen".

Nach hinführenden Gleichnisreden (Mt 25, 1–30) gibt Mt 25, 31–46 eine große Darstellung des Weltgerichtes. Die Exegese möchte wohl diese Schilderung nicht als futurische Weltgeschichte, sondern als ursprüngliche Gleichnisrede verstehen. Sie läßt bereits ausgebildete Christologie erkennen: Jesus ist der Menschensohn (25, 31), der messianische Hirt und König (25, 32. 34), der eine Sohn des Vaters (25, 34), der erhöhte Herr (25, 37. 44). Im Johannes-Evangelium ist apokalyptische Bildrede erfüllt. Das Gericht geschieht jetzt in der Entscheidung zwischen Glauben und Unglauben (3, 18 f. 36; 9, 39). Es ist schon vollzogen (5, 24 f.; 12, 31). Paulus beschreibt 1 Thess 2, 19; 4, 13–5, 11 das apokalyptische Welttheater in allen einzelnen Ereignissen zwischen Himmel und Erde. Doch 1 Kor 15, 52 sagt er, alles geschehe in „unteilbar kurzer Zeit". Wo ist hier Zeit für die einzelnen Vorgänge? Und Paulus sagt, alles werde ganz anders sein, als wir es uns denken können. Man kann davon nur in Vergleichen reden. Der genau wissen will, wie das alles geschieht, ist ein Tor (1 Kor 15, 35–49). Wir schauen aus nach dem, was gar nicht schaubar ist (2 Kor 4, 18). Eben dies ist die Größe der Hoffnung, daß die Güter der Hoffnung über alle Erfahrung hinaus liegen.

Ist der Himmel der Ort Gottes, so wird dieser Himmel als Raum, Palast, Stadt beschrieben. Dort steht Gottes Thron (Ps 11, 4; 103, 19). Doch alle Himmel vermögen Gott nicht zu fassen (1 Kön 8, 27). Gott erfüllt Himmel und Erde (Jer 23, 24; Jes 66, 1; Ps 139, 7–12). Das Neue Testament benützt die überlieferten weltbildlichen Vorstellungen. Gott wohnt im Himmel (Mt 5, 16; 1 Tim 6, 16; Apk 4 f.) mit seligen Menschen (Mt 5, 12; Apk 7, 9–17; 14, 1–5) und Engelscharen (Mt 18, 10; Joh 1, 51; Eph 3, 15; Apk 7, 11). Dorthin ist Christus zurückgekehrt (Mt 28, 20; Eph 1, 20). Altes Testament (Ex 33, 20; Jes 6, 5; 4 Esra 5 (7), 98) wie Neues Testament (Mt 5, 8; 1 Kor 13, 12 f. 2 Thess 1, 9; Hebr 9, 24; Jud 24; Apk 22, 4) kennen Wort und Begriff der Anschauung Gottes.

Das Alte Testament kennt auch die Vorstellung von der Unterwelt als dem Aufenthalt der Toten, die dort in der Finsternis ein schattenhaftes Dasein leben (Ijob 10, 21 f.). Sie ist auch das Gefängnis der abgefallenen bösen Geister (Jub 5, 6; ÄthHen 18, 11–16). Stätte des göttlichen Endgerichtes ist das Tal Gehinnom bei Jerusalem. Dort liegen die Leichen der Gottlosen. „Ihr Wurm stirbt nicht, und ihr Feuer erlöscht nicht. Für alle sind sie zum Abscheu" (Jes 66, 24;[1] Dan 12, 2). Frühjüdische Schriften bekunden weiter mannigfache Vorstellungen über die Qualen der Verdammten in der Hölle (1QH 3, 26–36). Im Neuen Testament gilt als Voraussetzung, daß der Strafort der Bösen unter der Erde ist (Lk 16, 23; Röm 10, 7; Apk 20, 13). Feuerhölle und Abgrund sind der gegenwärtige und künftige Ort der Mächte des Bösen (Mt 25, 41). Die Hölle wird (mit Jes 66, 24) formelhaft beschrieben: „Wo der Wurm nicht stirbt und das Feuer nicht erlischt" (Mk 9, 48). Im Matthäus-Evangelium (8, 12; 13. 42. 50; 22, 13; 24, 51) erscheint das Wort wie ein Refrain in den Reden Jesu. Im ganzen sind aber die Aussagen des Neuen Testamentes zurückhaltend. Wichtiger als die Ankündigung des Unheils ist das Evangelium des Heils.

7.3. Königsherrschaft Gottes

Eine weitere wesentliche Erwartung und Hoffnung biblischer Eschatologie ist die Wirklichkeit von Gottes Ordnung und Welt, in biblischer Sprache zunächst von Gottes Königsherrschaft und Reich. Die Begriffe bilden sich im Alten Testament. In Israel begann man Jahwe König zu nennen (Ex 15, 18; 19, 6; Num 23, 21; Jes 6, 5; Ps 5, 3; 10, 16), nachdem die irdische Königsherrschaft in Israel eingerichtet worden war, also wohl um das Jahr 1000. Jahwe ist König zuerst Israels (Jes 41, 21; 44, 6; 1 Chron 28, 5), dann der Völker (Jer 10, 7; Ps 47, 3 f.) und der Welt (Ps 34; 103, 19). Das Königtum Jahwes wird im Kult dargestellt und in den Thronbesteigungs-Psalmen gefeiert (Ps 47; 93; 96; 97; 99). Die Verwirklichung des Königtums Jahwes wird für das Ende der Zeiten erwartet. Der Messias wird dann neuer König David sein (Jes 11, 1; Ez 37, 24). Zur Zeit des Neuen Testaments war die Erwartung im Judentum drängend, zumal unter den Zeloten, wobei das messianische Reich zuerst als Befreiung von der römischen Fremdherrschaft verstanden

---

[1] Dies ist der letzte Vers des Buches Jesaja. Der grauenvolle Vers sollte bei der Verlesung des Buches nie der letzte bleiben. Es wurde daher stets der vorhergehende Vers Jes 66, 23 noch einmal wiederholt.

wurde (PsSal 17; s. IV. 1. 2.). Die Königsherrschaft Gottes wird frei-
lich auch spirituell und moralisch ausgelegt. „Die Weisheit zeigte
Israel Gottes Reich und verlieh ihm Kenntnis der heiligen Dinge"
(Weish 10, 10).

Der eschatologischen Erwartung voll war auch die Gemeinde von
Qumran. Sie wußte sich als „das letzte Geschlecht". Die Gemeinde
von Qumran mußte sich mit der Verzögerung der Gottesherrschaft
abfinden und endlich verstehen, „daß sich die letzte Zeit in die
Länge zieht, und zwar über alles hinaus, was die Propheten gesagt
haben. Denn die Geheimnisse Gottes sind wunderbar" (1QpHab
7, 2. 7f.). Im Neuen Testament wird die endzeitliche Ankunft des
Reiches angezeigt mit dem Kommen des Menschensohnes (IV.
1. 2. 3.), die von den Evangelien als Parusie (Ankunft oder Wiederkunft) Christi verstanden wird (Mt 24, 30; Lk 17, 20). Die zeitliche
Hoffnung bezeugt sich im Neuen Testament als die Zuversicht, daß
die Vollendung nahe ist, ja im gegenwärtigen Geschlecht sich ereignen wird. Dies besagen Herrenworte; so Mk 9, 1: „Wahrlich, einige
von denen, die hier stehen, werden den Tod nicht schmecken, bis
sie das Reich Gottes gekommen sehen in Macht"; oder Mk 13, 30:
„Wahrlich ich sage euch, dieses Geschlecht wird nicht vergehen, bis
dies alles geschieht." Die nahe Gottesherrschaft ist schon in der Gegenwart wirksam. In der Heilung der Besessenen werden die Dämonen überwunden; Kranke werden geheilt; Tote erweckt. Dies
bedeutet, daß die heile Welt Gottes wiederhergestellt wird. Tag und
Stunde freilich bleiben verborgen. „Über jenen Tag und jene Stunde
weiß niemand etwas, weder die Engel im Himmel, noch der Sohn,
sondern allein der Vater im Himmel" (Mk 13, 32).

Paulus hat das Wort von der erwarteten Königsherrschaft Gottes
in seiner Predigt gebraucht (1 Kor 15, 22–28. 50–55; Phil 3, 20f.).
Der Begriff ist bei ihm selten, wohl weil er in der griechischen Welt
nicht ohne weiteres verständlich war. Die Erwartung tritt bei ihm
zurück hinter die Verkündigung des nun wirklichen Heiles in Christus. Von der Erwartung der Vollendung leitet Paulus die Mahnung
ab, dieser würdig zu werden (Röm 13, 12; Gal 5, 21). Der Glaube
soll „das Königreich Gottes erben" (1 Kor 6, 9f.). Wie Erbe immer,
so ist das Reich unverdientes Geschenk. Das Reich ist künftig und
jenseitig, aber auch schon gegenwärtig (Röm 14, 17; 1 Kor 4, 20).
Das künftige Reich ist jetzt Königsherrschaft Christi (1 Kor 15, 24).
Auch Paulus erwartet die baldige Vollendung von Schöpfung und
Erlösung (1 Thess 4, 15; 1 Kor 7, 29; 15, 51; Phil 4, 5; Röm 13, 11f.).
Die Naherwartung hat jedoch kein Interesse daran, einen genauen

Kalendertag zu berechnen. Wesentlich ist die aus der Erwartung folgende stete Bereitschaft (1 Kor 16, 13) und die Distanz gegenüber der Welt, die vergeht (1 Kor 7, 29). In späterer Zeit denkt Paulus wohl auch an die Möglichkeit des Todes vor der Wiederkunft Christi (Phil 1.23).

EIN SCHLUSSWORT

Beim Auszug aus Ägypten nahm Israel die Schätze der Ägypter mit (Ex 3, 21 f. f.; 11, 2; 12, 35 f.). Als die Christen Israel verließen, nahmen sie dessen Schätze mit. Jeder Schriftgelehrte aber, der nun unterrichtet für das Reich der Himmel, soll aus seinem Schatz Neues und Altes hervorholen (Mt 13, 52). Das Neue ist das christliche Evangelium. Dieses aber spricht sich oft genug und sehr tief aus in alter Überlieferung, auch Israels Reichtum.

REGISTER

Achtzehnbittengebet 82
Älteste (Priester) 24. 57f. 118–120
Apokalyptik s. Eschatologie
Apostel 21. 33. 117f.
Apostelgeschichte 32–38
Auferstehung 22. 127f.

Bergpredigt 21. 63
Beschneidung 7f. 11. 50f.
Bibel 98–100
Bilderverbot 3. 87

Christologie 40f. 52–54. 63–67.
94

Dämonen 4. 16. 20. 72
Davidssohn 26. 30f. 68f. 72
Deuteropaulinen 52–54

Ehe 4. 9. 95–98. 105f.
Erbsünde, Erbtod 94f.
Eschatologie 9. 17–19. 42–46. 71.
125–132
Ester-Buch 4f.
Ethik 9. 11. 102–109

Freiheit 11

Geschlechtlichkeit 4. 8f. 11
Gesetz 11. 18f. 23. 27. 35f. 52. 58.
60. 96f. 103–109
Glaube 67. 108f.
Gnosis 9f.
Gottesdienst 124f.
Gotteslehre 9. 11. 59. 73f. 85–90
Gottlosigkeit (der Juden) 3. 6. 8.
51
Götzendienst 5. 9

Hebräerbrief 53f. 119
Heiden 3f. 18. 22. 29
Heidenchristen 11. 21. 31. 35f. 49f.
Heiligkeit 114f.
Heilungen (Wunder) 20f. 64–67
Himmel und Hölle 129f.
Hohepriester 22. 24. 30. 33f. 42.
57f. 75–77

Jakobusbrief 54f.
Johannesevangelium 38–42. 66f.
76. 109. 127
Judenchristen 10–25. 32–39. 43.
49–51. 53f. 81–83

Kirche 50. 53f. 74. 81–83. 101.
112–116
Kreuzestod 21f. 24. 29. 51. 74–79

Liebesgebot 22f. 27. 109–113
Lukasevangelium 30–32

Mahl 34. 124
Makkabäerbücher 5
Markusevangelium 20–26. 79
Matthäusevangelium 25–30. 54f.
80. 129f.
Menschenfeindlichkeit (der Juden)
4. 6. 8. 19. 51
Menschensohn 5. 14. 21. 27. 70f.
76f.
Messias 21. 26. 41. 62. 69f. 75.
130f.
Mission 10. 15. 27. 31. 34f.

Paulus 11. 34–38. 46–52. 55. 73.
89. 93f. 106f. 109. 113. 119f.
123. 127. 129. 131f.

Pharisäer 16. 21–23. 25. 27. 30. 33.
    42. 47. 58–60. 82. 100. 127
Propheten 120
Prophetenmorde 18. 27. 51.
    79 f.

Q (Spruchquelle) 12–20. 27. 71. 97
Qumran 20. 44. 68. 88. 96. 100.
    113 f. 118. 123 f. 127. 131

Rabbinen 27. 47. 64 f. 81. 98. 104.
    121
Reich Gottes 20. 37 f. 72. 130 f.
Rom (Römisches Reich) 6–9.
    36–39. 47 f. 75–77. 79

Sabbat 7. 9. 11. 27. 105. 107
Sadduzäer 22. 33. 61. 127
Selbstverfluchung Israels 29 f.
Schriftgelehrte 16. 22. 24. 27. 33.
    57 f. 60. 100 f.
Schöpfung 90–95
Sohn (Gottes) 71–73. 88 f.
Speisegebote 4 f. 22. 52

Taufe 123 f.
Tempelzerstörung 24. 27. 34. 44

Weissagung 23–25. 31–33. 76 f.
    98–100. 127
Werkgerechtigkeit 107

Aus dem weiteren Programm

4610-2 Beyschlag, Karlmann:
Grundriß der Dogmengeschichte. Band 1: Gott und Welt.

1982. XVIII, 284 S., kart.

Der hier vorgelegte „Grundriß" ist erstmals sowohl für protestantische als auch für katholische Leser bestimmt. Er will nicht nur dem Studierenden bei der Bewältigung eines grundlegenden theologischen Sachgebietes behilflich sein, sondern wendet sich darüber hinaus an Dozierende, ja an den Theologen schlechthin.

9054-3 Günzler, Claus (Hrsg.):
Ethik und Lebenswirklichkeit. Theologische und philosophische Beiträge zur ethischen Dimension von Gegenwartsproblemen. Festschrift für Heinz Horst Schrey zum 70. Geburtstag.

1982. VII, 180 S., 1 Frontispiz, Gzl.

Das Buch will wesentliche Probleme des heutigen Lebensverständnisses aus verschiedenen Positionen der theologischen und philosophischen Ethik verdeutlichen und damit zugleich die Fruchtbarkeit historischer ethischer Ansätze für die Gegenwartssituation aufzeigen.

8549-3 Gerdes, Hayo:
Sören Kierkegaards 'Einübung im Christentum'. Einführung und Erläuterung.

1982. X, 138 S., kart.

Zusammen mit der „Krankheit zum Tode" ist die „Einübung im Christentum" Kierkegaards theologisches Hauptwerk. Dieser Kommentar möchte dem Leser die Hauptgedanken Kierkegaards nahebringen. Dabei ist nicht so sehr an die Fachspezialisten gedacht als vielmehr an jeden an Kierkegaard Interessierten.

6030-X Harnisch, Wolfgang (Hrsg.):
Gleichnisse Jesu. Positionen der Auslegung von Adolf Jülicher bis zur Formgeschichte. (WdF, Bd. 366.)

1982. VIII, 457 S., Gzl.

Der Band bietet einen Abriß neutestamentlicher Gleichnisauslegung von der Jahrhundertwende bis zur Gegenwart. Bei den zusammengestellten Aufsätzen und Buchauszügen handelt es sich um Beiträge, die sich mit methodologischen Problemen der Exegese befassen, den Gleichnisstoff der synoptischen Tradition also unter prinzipiellen Fragestellungen angehen.

8314-8 Harnisch, Wolfgang (Hrsg.):
Die neutestamentliche Gleichnisforschung im Horizont von Hermeneutik und Literaturwissenschaft. (WdF, Bd. 575.)

1982. IX, 441 S. mit schemat. Darst., Tab., Formeln, Übers. u. Zeichn., Gzl.

Die vorliegende Sammlung thematisiert neue Wege der Gleichnisforschung. Im Vordergrund des Interesses steht einerseits das Bemühen, Prinzipien und Verfahren der modernen Literaturwissenschaft innerhalb der exegetischen Arbeit an Gleichnistexten des Neuen Testaments zu erproben. Als anderer Pol erweist sich das Problem der Hermeneutik. Denn inwieweit sich Gott in der Sprache der Welt zur Erfahrung bringt, ist eine Frage hermeneutischer Besinnung.

83/I

WISSENSCHAFTLICHE BUCHGESELLSCHAFT
Hindenburgstr. 40   D-6100 Darmstadt 11